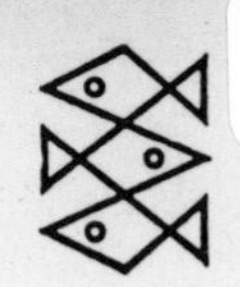

W9-DHX-823

Über dieses Buch Günther Anders zählt zweifellos zu den bedeutendsten Philosophen dieses Jahrhunderts; zumal im deutschen Sprachraum ist seine geistige wie politische Radikalität ohne Beispiel. Dennoch taugte er niemals zur öffentlichen Leitfigur, und sein Werk – so häufig es Anlaß zu konservativer Empörung gab – zählte doch niemals so recht zum Kanon linker oder ökologischer Bewegungen. Die Ursache für diese gebrochene Resonanz liegt auf der Hand: Anders hat sich zwar als erster den Schrecken der Hiroshima-Epoche gestellt und ihre Konsequenzen schonungslos zu Ende gedacht – aber er war niemals mit ideologischem Trost bei der Hand, der den geschehenen Greueln und der Drohung des endgültigen atomaren Endes irgendeinen »Sinn« hätte abgewinnen können. Im Gegenteil zersetzte seine Kritik auch noch die letzten Illusionen über die privilegierte Stellung des Menschen.

In mehreren essayistisch angelegten Querschnitten, die jeweils von einem zentralen Topos ausgehen, vermag Ludger Lütkehaus eindringlich die Aktualität dieses Denkens zu entfalten. Weder das apokalyptische Bild einer »Welt ohne Mensch« noch der diagnostizierte »Kontingenzschock« oder die These von der »Antiquiertheit des Menschen« gegenüber seinen Apparaten haben an Dringlichkeit das mindeste eingebüßt. Anschaulich wird zugleich die innere Einheit von Anders' literarischem, philosophischem und publizistischem Schaffen – mithin sein geistiger Habitus, der ihn als den Vordenker einer anderen »Postmoderne« ausweist.

Der Anhang enthält eine vollständige, aktualisierte Bibliographie der Publikationen von Günther Anders.

Der Autor Ludger Lütkehaus, geboren 1943, hat als Dozent für Neuere Germanistik und Visiting Professor für deutsche Geistes- und Kulturgeschichte des 19. Jahrhunderts an den Universitäten London, Freiburg i. Br., Siegen und an der Emory University, Atlanta/USA, gelehrt. Heute lebt er als freier wissenschaftlicher Publizist in Freiburg i. Br. – Als Fischer Taschenbuch erschienen *›Dieses wahre innere Afrika‹. Texte zur Entdeckung des Unbewußten vor Freud* (Bd. 6582) und *›O Wollust, o Hölle‹. Die Onanie – Stationen einer Inquisition* (Bd. 10661).

Ludger Lütkehaus

Philosophieren nach Hiroshima

Über Günther Anders

Fischer Taschenbuch Verlag

Für Elisabetha und Wolf

Veröffentlicht im Fischer Taschenbuch Verlag GmbH,
Frankfurt am Main, Juli 1992

Umschlaggestaltung: Buchholz/Hinsch/Hensinger
Umschlagabbildung: Günther Anders,
fotografiert von Hermann Dornhege, Dortmund
Gesamtherstellung: Clausen & Bosse, Leck
Printed in Germany
ISBN 3-596-11248-6

Dieses Buch ist auf chlor- und säurefreiem Papier gedruckt

Inhalt

Vorwort

Die philosophische »Eule der Minerva« beginnt nach Hegels nur scheinbar allzu bekanntem Wort »erst mit der einbrechenden Dämmerung ihren Flug«; wenn »eine Gestalt des Lebens alt geworden« ist, dann malt sie »ihr Grau in Grau«. Ein merkwürdiges Wort für einen Denker, den die Historienlegenden der Philosophie als wohlgemuten Anwalt der »Vernunft in der Geschichte« zu annoncieren pflegen; indessen eines, das in der Tat auf den wichtigsten deutschsprachigen Philosophen der Gegenwart zutrifft: auf Günther Anders. Wenn er, nach dem Abgesang des »Prinzips Hoffnung«, sein »Grau in Grau« – oder gar Schwarz in Schwarz – malt, so deswegen, weil die herrschende Gestalt des Lebens alt geworden ist. Alt, veraltet, antiquiert aber ist sie, weil andere Gestalten so schrecklich jung und schlechthin neu sind: Die Diskrepanz zwischen destruktiv fortgeschrittener Technik und zurückgebliebenem Menschen markiert den zentralen Bruch der Moderne seit Hiroshima – und auch der angeblichen »Postmoderne«, die in bezug auf die destruktive Herrschaft der Technik genauso modern wie die Moderne ist. Ob die Epoche, die nach Anders nur noch eine »Frist« ist, sich je davon erholen wird, scheint bei derart trübem Licht mehr als zweifelhaft. Die Frage auch nur als Frage offenzuhalten, erfordert jedenfalls andere Stimmungen, als das »Prinzip Verzweiflung« sie gewährt.

Gleichwohl: Wer in dieser Situation noch weiterspricht, der widerspricht. Wenn der philosophische Nachtvogel sieht, so nicht dank einer Beleuchtung, wie sie eine einverständige »anthropofugale« Apokalyptik so gerne am Kaminfeuer ihrer Menschheitsdämmerung inszeniert.

Ende der Metaphern! Im eigentlichsten Sinn ist Günther Anders der am meisten zeitgenössische und zugleich oppositionellste Denker der deutschen Gegenwartsphilosophie. Und das wahrhaft Erstaunliche im Land der »Dichter und Denker, Schweber und Seher« ist, daß er nicht freiwillig von vornherein – um nicht zu sagen: a priori – auf jede Wirkung verzichtet hat. An die etablierten Sprachregelungen, die Radikalität allenfalls in abgründigster Tiefe verstecken und »flache« Verstehbarkeit fürchten wie die Denkerpest, hält er sich nicht.

Die folgenden Studien verstehen sich zunächst als Einführung in das riesige Lebenswerk von Günther Anders; dann als weiterführende Diskussion eines Teilaspekts, der indessen mit seinen zentralen Thesen zusammenhängt: der Rolle der Kunst im allgemeinen, der Andersschen Kunst im besonderen »nach Hiroshima«; schließlich als Versuch, den weithin unbekannten Metaphysiker, den Ontologen Anders vorzustellen, der, auch wo er nicht explizite spricht, in seinem Werk stets gegenwärtig ist. Um den Preis gelegentlicher Wiederholungen, die der Pädagoge Anders ebenfalls nie gescheut hat und die man als eine Art von Thesen-Recycling gelten lassen mag, kann man jede dieser Studien für sich lesen.

Entstanden sind diese Texte, die manchmal direkt, immer indirekt die Auseinandersetzung auch mit aktuellen politischen Themen suchen, aus etlichen Arbeiten zur Konjunktion von Technik und Krieg (inclusive des Bürgerkriegs, d. h. des Kriegs gegen die Bürger) unter den Bedingungen der atomaren Moderne. Deren subtile Unterscheidung zwischen der unmittelbar militärischen und der sogenannten »friedlichen« Nutzung der Atomenergie wird dabei so ernst genommen, wie sie es verdient: als ausschließlich verbale Entsorgung im Zwischenlager der Begriffe.

Im engeren Sinne gehen die Texte auf eine um den Schrebergarten der Fakultäten unbekümmerte philosophisch-germanistische Vorlesung zurück, die unter dem Titel ›Schreiben im Atomzeitalter. Über Günther Anders‹, im Sommersemester 1988 an Anders' einstigem Studienort: der Universität Freiburg im Breisgau, gehalten wurde, sowie auf ein interdisziplinäres Faculty Seminar an der Emory University in Atlanta/USA im Frühjahrssemester 1990, das sozusagen der Remigration von Anders in das von ihm öfters befehdete Land seiner Emigration dienen sollte.

Die beiden ersten Studien, deren Systematik sich an den schon von Anders selber formulierten Schwerpunkten seines Lebenswerkes orientiert, sind um größtmögliche Deutlichkeit ohne Simplifizierung in der Sache bemüht. Sie wurden mit erfreulicher Resonanz in zwei Fernsehsendungen der »Teleakademie« des Südwestfunks und des Westdeutschen Rundfunks vorgetragen. Die Widersprüche, in die man sich dabei auf den Spuren eines geharnischten Kritikers des Mediums Fernsehen verwickelt, sind offensichtlich. Aber man ist hier zugleich in der selbstkritischen Gesellschaft von Anders. Überdies: »The invasion of Anders into some German homes« ist gewiß ein angemessener Lohn.

Die dritte Studie, die durchgesehene Fassung eines Beitrags zur ›Zeitschrift für Literaturwissenschaft und Linguistik‹ mit dem Titel ›Nach Hiroshima: Antiquiertheit des Menschen – Antiquiertheit der Kunst? Über Günther Anders' ästhetische Theorie und literarische Praxis‹ (1989, H. 75, S. 117–138), ist etwas schwieriger; man merkt ihr manchmal den Charakter eines akademischen Projektes an. Trotzdem hoffe ich, daß die Dissonanzen, um deren Vergegenwärtigung es geht, auch so hörbar sind. Die dritte Studie ist außerdem kritischer als die beiden ersten: Im Zeichen von »Anders« kann es naturgemäß kein bloßes Echo geben.

Die vierte Studie diskutiert mit Anders' Kontingenzphilosophie den vordergründig am meisten schulphilosophischen Aspekt seines Werkes, der auf seine Anfänge bei Husserl und vor allem bei Heidegger und Scheler zurückführt, aber vom alten Anders mit Nachdruck bekräftigt worden ist. Demgemäß sind in diesem Zusammenhang einige akademische Etüden ebenfalls nicht zu vermeiden. Für die nötige Kompensation mag aber sorgen, daß der Schriftsteller, der Dichter Anders hier wie schon in der dritten Studie, indes mit weit mehr Zustimmung als dort, ausführlich zu Wort kommt.

Diese Überschreitung des Titel-Rahmens über das bloße Philosophieren hinaus hängt auf das engste mit dem Kern des Andersschen Kontingenzdenkens zusammen. Außerdem wird sie aus qualitativen Gründen nahegelegt: In Personalunion mit dem Metaphysiker widerlegt der Autor der *Kosmologischen Humoreske* und der philosophisch-erotischen Idylle *Mariechen* glänzend die Mär, daß literarischer Tatenreichtum an philosophische Gedankenarmut gebunden sei.

Im übrigen sorgt der »Ketzer« Anders auch hier für genügend schulsprengende Provokation – und zwar so sehr, daß er »sub specie contingentiae« seine so gesichert anmutende humane Identität zu verlieren und zu den zeitgenössischen Protagonisten des »anthropofugalen« Denkens überzulaufen scheint.

Wenn das Thema der vierten Studie insgesamt soviel Gewicht erhält, so deswegen, weil sich in der Lehre vom »Kontingenzschock« die doppelte Pointe dieses Philosophierens »nach Hiroshima« zeigt. Wird mit der Bombe die Kontingenz des menschlichen Daseins, sein zu können oder auch nicht, so sehr radikalisiert, daß der »Nihilismus« als »Annihilismus« ein für allemal das Realprinzip der Geschichte zu werden droht, so explodiert diese Bombe in Anders' Kontingenzphilosophie antizipatorisch schon vor der Zeit. Ist es die traditionelle Aufgabe der Philosophie gewesen, die Menschen vor den Tod zu stellen, so werden sie hier vor den wahrhaft »ganzen Tod«, und das heißt auch: vor den Tod jeder letzthinnigen Seinsgarantie, jeder letztbegründeten moralischen Obligation, jeder Sinngebung gestellt. Anders' Kontingenzphilosophie ist auch als Entsprechung zu dem zu lesen, dem sie zuerst und zuletzt so entschieden zu widersprechen trachtet. Seine Philosophie ist die Epoche, in Explosionsform gedacht.

Wie sehr alle Studien dankbar demjenigen verpflichtet sind, von dem mehr als von den meisten anderen Zeitgenossen gelernt werden kann, ist offensichtlich. Auch wenn sein Selbstverständnis an diesem Punkt unüblich unbescheiden, zudem für einen erklärten Ketzer ungewohnt biblisch klingt, zitiere ich es:

»*Interviewer:* ›Moral, sind Sie der Lehrer?‹
G. Anders: ›Ja, das bin ich.‹«

Dem Leser bleibt nur hinzuzufügen, daß dieser Lehrer, gerade weil er ein guter Lehrer ist, anders als die Schulmeister auch frei genug ist, die Moral gegebenenfalls – die Moral sein zu lassen.

Freiburg i. Br., zum 12. Juli 1992 L. L.

I. Mensch ohne Welt

»Fortschritt macht blind«: So könnte heute die Zuspitzung einer These lauten, die Günther Anders im ersten Band seines Hauptwerkes *Die Antiquiertheit des Menschen* formuliert hat. »Der *Fortschrittsglaube*«, heißt es da [1], »das Kind des Komparativs und der Zuversicht«, *»hat uns apokalypse-blind gemacht. Man glaubt kein Ende, man sieht kein Ende«* – auf schlechtes Ende ist man schon gar nicht eingestellt, weil es für den Glauben an das immer Bessere weder etwas definitiv Schlechtes noch überhaupt ein Ende gibt.

Noch vor vier, fünf Jahren, unter dem Eindruck drohender *und* realer atomarer Katastrophen – kriegerischer und sogenannter »friedlicher« –, bei Vorwarnzeiten, die gegen Null tendierten oder längst zu absurden Nachwarnzeiten geworden waren, da sah es anders aus; da fand ein Denker wie Günther Anders – einer populären personalisierenden Redeweise zufolge »das Gewissen des Atomzeitalters« – weithin Gehör – und zwar so sehr, daß seine provozierenden Äußerungen über eine auch gewalttätige »Notwehr« gegen den atomaren »Notstand« heftigste Diskussionen auslösten. [2] Heute hingegen, wo die eisernen Vorhänge gleich scharenweise gefallen sind und man nach dem überwältigenden Sieg der kapitalistischen Demokratie gar nicht mehr weiß, woher man die Feinde nehmen und nicht stehlen soll, scheint der Philosoph der »Antiquiertheit des Menschen« selber antiquiert, es sei denn, fern hinten im Irak wäre für die gnadenreiche Regeneration der Bedrohungsressourcen gesorgt. Und handelt es sich hier im Widerspruch zu seiner nachtschwarzen Philosophie denn nicht auch um einen durchaus realen Fortschritt, der als solcher eben nicht blind, sondern positiv sehend macht? Sind denn etwa die alten Pershings und die alten Giftgase nicht abtransportiert worden? Fangen nicht hier und da schon einige »Sicherheitspolitiker« an, die Verteidigungshaushalte so einschneidend zu reduzieren, daß wir uns nicht mehr ganz so oft wie bisher, obwohl immer noch mehr als reichlich gegenseitig umbringen können? Und wird nicht überhaupt alles immer sicherer – vom PKW bis zum AKW, höchstens noch, daß die menschlichen Fehlerquellen, die Menschen *als* Fehlerquelle, bleiben?

Gewiß, keiner dieser Fortschritte ist geringzuschätzen. Ebenso gewiß freilich, daß es sich um höchst begrenzte Fortschritte bei teils anhaltenden, teils weiterhin ansteigenden unbegrenzten Bedrohungen handelt. Noch gewisser, daß der fortschrittsgeblendete Mensch der Gegenwart sich mit seinen Denkmustern, seinen Gefühlen, seinem Verhalten nicht auf der fatalen Höhe seiner technisch-militärischen Produktion befindet, insofern also ein zugleich avanciertes und antiquiertes, veraltetes, verspätetes Wesen ist. Und dem Denker dieser »Antiquiertheit« kommt der paradoxe Vorzug zu, wie sonst erst wenige wirklich »up to date« zu sein.

Ein Unbekannter ist Anders spätestens seit der Verleihung des Adorno-Preises 1983 nicht mehr – die Zeiten, in denen man ihn noch mit Alfred Andersch oder Stefan Andres verwechselte, sind vorbei. Eine respektable Sekundärliteratur müht sich inzwischen schon um die Deutung seines Werkes, am hilfreichsten die Monographien von Gabriele Althaus[3], Helmut Hildebrandt[4], Jürgen Langenbach[5], Konrad Paul Liessmann[6] und Werner Reimann[7]. Ja, sogar ein ehemaliger halblinker Kanzlerkandidat hat sich in seinen prinzipiellen Überlegungen manchmal gerne auf Anderssche Grundbegriffe bezogen.

Unabhängig von den aktuellen Konjunkturen ist indessen festzuhalten: Radikal und beharrlich wie kein anderer zeitgenössischer Denker hat Anders die Situation des Menschen im Atomzeitalter analysiert. Kein anderer ist wie er dem Hegelschen Anspruch gerecht geworden, Philosophie sei ihre Zeit in Gedanken erfaßt. Indes hat auch kein anderer so wie er zu sagen gewagt, daß es mit dem reinen Erfassen nicht getan ist; daß es vielmehr die Aufgabe einer Philosophie ist, die mehr als »Spaaßphilosophie« (Schopenhauer) sein will, »cum ira et studio« zu sprechen. So verkörpert er nach dem Vorbild der »engagierten Literatur« den zumal in Deutschland so seltenen Typus der »philosophie engagée«. Derlei unbequeme Denker pflegt man als »Kulturkritiker« abzufeiern – »Nein!«, sagt Anders, »es sei denn, ihr meint Barbareikritik damit.« Oder man hat ihn einen »Maschinenstürmer« genannt – »Wohlan«, sagt Anders, »das kann auch ein Ehrentitel sein.«[8]

Schließlich hat Anders für seine Einsichten eine überaus plastische und präzise Sprache gefunden, die zwar auch nicht einfach, aber doch wohltuend von den Labyrinthen der meisten akademischen Zunftgenossen unterschieden ist. Anders selber spricht leicht selbstironisch von einer *»Kreuzung von Metaphysik und Journalismus«*.[9] Die Zunft hat ihn auch deswegen gerne links liegengelassen; seit dem 19. Jahrhundert sind wir es ja ohnehin gewohnt – man denke nur an Schopenhauer, an Marx, an Feuerbach, an Nietzsche –, daß sich wirklich wichtiges Denken nicht unbedingt in den Räumen der Alma mater ereignen muß. Die Bombe zum Beispiel hing lange Zeit über allen möglichen Dächern, aber offenbar nur ganz punktuell über denen der Universitäten ...[10]

Bei dem Sprachproblem lohnt es sich im übrigen kurz zu verweilen. Will man es verklausuliert und akademiefähig, dann kann man sich an das Kompliment von Anders an Adorno halten, bei aller Bewunderung seien doch etliche seiner Texte in »His-Dur« gehalten – worauf Adorno sich nicht weniger elegant dafür bedankte, daß dieses Lob wenigstens in »His-Moll« gehalten sei. Will man das Problem direkter und also mehr à la Anders, dann empfiehlt es sich, seinen satirischen Diskussions-Krimi ›Über die Esoterik der philosophischen Sprache‹ zu lesen.[11] Mag diese Esoterik, heißt es dort, einmal das Mittel gewesen sein, riskante Einsichten durch Schwerverständlichkeit vor kirchlichem und staatlichem Zugriff zu schützen, so dient das Vokabelgestrüpp jetzt nur noch dazu, der Philosophie einen letzten Schein von oppositioneller Ehre zu verschaffen und zu verbergen, bis zu welch beschämendem Grad sie sich mit den herrschenden Meinungen deckt. »Seht, wie schön unverständlich wir schreiben«[12], lautet die Beteuerung der eigenen Harmlosigkeit. Diese Gefahr ist bei Anders durchweg gering: Er nimmt wahrhaftig kein beschriebenes Blatt vor den Mund.

Natürlich hat auch eine Anders-Lektüre ihre eigenen Schwierigkeiten. Der Moralist und Pädagoge hebt zum Beispiel gerne den belehrenden Zeigefinger. Manchmal wiederholt er sich geradezu obsessiv. Öfters ist er dogmatisch oder gar doktrinär: Die Dialoge, die er inszeniert, sind in Wahrheit immer Monologe, bei denen die Gegner – Technokraten, Geistliche, Wehrhafte jeder Sorte – von vornherein chancenlos sind. Allerdings hat der Rechthaber Anders eben auch meistens recht. Und wenn er übertreibt, so in Richtung Wahrheit, während die zynische Vernunft ein ganz und gar witzloses Understatement liebt.

Schwerer wiegt ein psychologisches Problem bei der Lektüre seiner Bücher: Aufbauendes, Positives, die schönen Blüten des Prinzips Hoffnung, mögen sie nun politisch, religiös oder schlicht in den Farben des lebenserleichternden menschlichen Optimismus blühen, wird man bei ihm meist vergeblich suchen. »Wenn ich verzweifelt bin, was geht's mich an?«[13], lautet die Maxime, mit der er den düsteren Diagnostiker in sich vom widerstehenden Moralisten trennt. Aber wer hat schon die Kraft, so desillusioniert zu sein und doch wie er ein ganzes Leben lang hartnäckig nein zu sagen.

Immerhin kann er auch das Hoffnungslose noch so sagen, daß er uns wenigstens sarkastisch aufmuntert. Der lyrische Lobgesang auf das »Prinzip Hoffnung«, den Anders in den Anmerkungen zum zweiten Band der *Antiquiertheit des Menschen* versteckt hat, lautet: »Auf der Platte eines Seminartisches einer deutschen Uni fand man folgenden Vers eingeschnitten: ›*Prinzip Verzweiflung Oder Einmal Etwas Anders*‹ – ernst bloch spricht:/ ›wir sind noch nicht.‹/ ernster als bloch/ wäre: ›gerad' noch.‹/ anders wär': ›nicht mehr‹.«[14] »anders als anders:/ ›doch noch sehr‹«, könnte man natürlich im Sinne der Selbstbehauptung hinzufügen. Gleichwie: Dieses drohende »nicht mehr« zu beschreiben und dagegen anzuschreiben – das ist die Absicht einer Philosophie, die sich mit einer menschenverlassenen, »vermondeten« Welt nicht zufriedengibt.

Freilich ist Anders weit mehr als nur ein Moralist und Philosoph: ein Erzähler, ein Lyriker, ein Essayist, ein Tagebuchautor, ein Medien-, Kunst- und Literaturkritiker, dazu ehemals auch ein Musiker und ein Zeichner: Nichts war diesem Grenzgänger aller kreativen Fakultäten weniger in die Wiege gelegt, als sich mit der Ästhetik des Schrecklichen auseinanderzusetzen. Wer ihn etwa über Schubert, über fallende Melodien sprechen hört[15]; wer seine wunderbare »Gutenachtgeschichte« *Mariechen*[16] liest, kann spüren, welche Seele sich hinter dem gnadenlosen Diagnostiker verbirgt, richtiger: dessen Schroffheit inspiriert – weil er nämlich weiß, daß es etwas zu verlieren gibt... Wenigstens einiges auch davon versuche ich in dem folgenden Überblick zu zeigen, der lebens- und werkgeschichtliche Motive miteinander verbindet.

Günther Anders wurde am 12. Juli 1902 als Günther Stern im damaligen Breslau, heutigen Wrocław, geboren: auf das Pseudonym »Anders« komme ich noch zurück. Die Eltern, Clara und William Stern, Angehörige der assimilierten jüdischen Bildungsbourgeoisie, waren beide angesehene Psychologen, William Stern einer der berühmtesten akademischen Psychologen der Zeit.[17]

Vom säkularisierten Judentum seiner Eltern blieb Anders als zentraler Impuls das Bilderverbot: Ob nun transzendenter Bildersturm oder diesseitiger Maschinensturm – für jedes menschliche »fabricatum« gilt das Vergötzungsverbot.[18]

Direkter noch der Einfluß der elterlichen Psychologie. Der »Personalismus«, den William Stern mit seinem Hauptwerk *Person und Sache* vertrat, stellte sich der herrschenden positivistischen Psychologie mit ihrem Messen, Berechnen und Experimentieren, kurz: ihrer Verdinglichung des Menschen entgegen – der Sohn hat das in der Widmung des ersten Bandes der *Antiquiertheit des Menschen* dankbar vermerkt, freilich mit dem Zusatz, daß die Beschränkung auf die bloße Wissenschaftskritik unzulässig sei.[19] Ja, die von Anders geforderte »Dingpsychologie«[20] – also nicht bloß eine Psychologie, die den Menschen, den AKW-Betreiber, den PKW-Fahrer, den Fernseher im hörigen Umgang mit den Dingen zeigt, sondern den Dingen selber gleichsam in die Seele schauen will, weil sie nämlich vergegenständlichte Handlungsformen sind – diese Dingpsychologie also läßt die persönliche Psychologie des Vaters deutlich hinter sich. Gleichwohl: Die Kritik von Vater *und* Sohn Stern an jedem Experimentieren mit Menschen überspringt die Unterscheidung zwischen wissenschaftlicher und faktischer Behandlung. Denn Experimente sind Wirklichkeiten, gegebenenfalls tödliche Wirklichkeiten. Und prinzipiell ist mit dem kantischen Gegensatz von Person und Sache die Ausgangsposition auch für das Werk des Sohnes gegeben.

Seit 1921 studiert Anders dann bei Husserl und Heidegger in Freiburg im Breisgau Philosophie. Dieser Studienort bietet eine eigentümliche Mischung provinzieller und weltweiter Motive, die der weltläufige Anders öfters anekdotisch festgehalten hat.[21] Freiburg – das ist für ihn auch Wein und Musik gewesen, gegebenenfalls eine Fasnacht und von seiten Husserls die schöne Ermahnung: »Als Phänomenologe tanzt man nicht!« Die philosophische Person an sich hat offenbar keine bewegtere öffentliche Erscheinung.

Das hindert jedoch nicht, daß Anders bei Husserl promoviert: Dem kategorischen Imperativ der Phänomenologie: »Zu den Sachen selbst«, wird er methodisch *und* thematisch auf seine Weise folgen. Ebenso wird Husserls *Krisis der europäischen Wissenschaften* und deren problematisches Verhältnis zur Lebenswelt eines seiner Zentralthemen sein.

Von der Bekanntschaft mit Heidegger wiederum datiert das tiefreichende Interesse an der Seinsfrage. Es ist wenig bekannt, daß Anders auch nach universitätsphilosophischen Maßstäben die höheren ontologischen Weihen hat. Das belegen neben dem Hauptwerk und den *Philosophischen Stenogrammen* seine höchst bedeutenden philosophischen Aufsätze[22]; dann das Werk, mit dem Anders am deutlichsten zu den Fragen – nicht zu den Antworten – der Tradition zurückkehrt: die *Ketzereien*[23]; schließlich seine Fabeln und einige seiner erzählerischen Texte.[24]

Die Distanz zu Heidegger ist allerdings von Anfang an beträchtlich. Und sie vergrößert sich aus den bekannten politischen Gründen. Nach der Einleitung zum zweiten Band der *Antiquiertheit* hat Heidegger Anders davor gewarnt, *»je in die Praxis zu desertieren«*[25] – erfolglos durchaus: Anders ist, wie dann Heidegger selber, in die Praxis desertiert, freilich in eine andere Praxis.

Der dritte philosophische Lehrer ist schließlich am Ende der zwanziger Jahre Max Scheler gewesen, im Zentrum die philosophische Anthropologie. Doch auch hier ist Anders mit seiner Kritik an einem angeblichen »Wesen des Menschen« bald zum Selbstdenker geworden. Diese schönen Wörter der Tradition verfallen bei ihm nach der »Götterdämmerung« der »Vokabeldämmerung«.[26] Der Mensch ist nach dem philosophisch wichtigsten Versuch aus den zwanziger Jahren[27] im buchstäblichen Sinn ein welt-fremdes, ein weltloses, ein unfestgelegtes »Wesen«. Nicht zu Ende geschaffen, der Negation fähig, hat er prinzipiell keine bestimmte Welt; er muß sie sich immer erst selber erzeugen.

Sein »Wesen« also ist es, paradoxerweise kein Wesen zu haben; seine Definition, undefiniert zu sein – wenn wir das »frei« nennen, so ist das eine positive Formulierung für die Unfestgelegtheit.[28]

Echos oder Parallelen dieser frühen »negativen Anthropologie« mag man, höchst unterschiedlich gewendet, in der Philosophie Arnold Gehlens oder in Sartres Lehre vom Vorrang der Existenz vor der Essenz entdecken. Anders selber denkt hier indessen später sehr gegensätzlich weiter. Gelegentlich legt er die Kluft zwischen den verschiedenen menschlichen Vermögen erstaunlich positiv als Zeichen der Freiheit aus; vorherrschend ist aber die Selbstkritik an der Überbetonung der Freiheitsmotive. Mit Grund. Denn in der *Antiquiertheit des Menschen* tauchen die frühen Denkmuster geradezu spiegelverkehrt auf: Die traditionellen Freiheitsanthropologien sind allesamt auf der Folie der Natur, von Stein, Pflanze, Tier entworfen worden. Bezieht man sich aber auf die Welt der technischen Geräte, wie heute obligatorisch, dann sind es Leib und Seele des Menschen, die relativ festgelegt sind; und die unaufhörlich veränderten Apparate usurpieren das Prädikat der Freiheit und Unfestgelegtheit.

Anders war also auf besten Wegen, ein zunftfähiger Philosoph zu werden. Doch die Weimarer Republik war inzwischen zu durchaus konträren Dingen unterwegs. In Berlin lebend, mit Benjamin, Brecht, Eisler, Grosz, Heartfield, Döblin bekannt, mit der Jaspers-Schülerin Hannah Arendt verheiratet, hat Anders das früher als die meisten gesehen und darauf reagiert: Seine Abwendung von der Schulphilosophie zur Publizistik und zur engagierten Literatur ist eine bewußte Desertion in die antifaschistische Praxis. Neben seinem Roman *Die molussische Katakombe* entstehen zwei großartige Erzählungen daraus: *Der Hungermarsch* und *Learsi*[29], die bittere Geschichte eines fehlschlagenden jüdischen Assimilationsversuches: Dem Juden Learsi wird nicht nur seine, sondern jede Welt verwehrt; »Kein Ort, Nirgends« – das ist die Realgestalt des Ou-topos, der Utopie.

Und kein Ort fortan auch für Anders. 1933 emigriert er nach Paris, 1936 in die USA, zunächst an die Ostküste, dann nach Los Angeles und Hollywood. Werden dort etwa Philosophen gebraucht? Nun, im Goldenen Westen haben unter anderem einige der bekannteren Köpfe der

Kritischen Theorie ihr Auskommen gefunden; Anders kennt die meisten von ihnen, daneben zum Beispiel auch Schönberg, Bloch und Broch. Aber er ist noch keine von den Spektabilitäten. So ist er gezwungen, sich mit zahlreichen »odd jobs« durchzuschlagen. Er lernt das Fließband als Arbeiter, nicht nur als Sozialphilosoph oder Sozialreporter kennen, und erfährt dabei am eigenen Leibe, was Diktatur der Maschine, was blindes, kommunikationsloses Machen, was die Scham des am Band Zurückbleibenden, des Versagenden heißt.[30] Kurz: Anders weiß, wovon er in den einschlägigen Kapiteln der *Antiquiertheit des Menschen* spricht.

Außerdem betätigt er sich in den Kostümarsenalen von Hollywood als Mitglied der Reinigungskolonne, als »Leichenwäscher der Geschichte«, wie er das sarkastisch in seinen Tagebüchern nennt.[31] Hier wird er nachhaltig mit der Kulturwarenproduktion der avanciertesten Medien- und Kommerzgesellschaft der Erde bekannt, so sehr, daß er lange vor Marshall McLuhan oder neuerdings Neil Postman ihren sanften Terror analysieren kann.

Schließlich wird er politisch wie die meisten seiner kritischen Zeitgenossen mit der Kommunistenhysterie des McCarthyismus konfrontiert. Wenn man heute manche Emigrantenbitterkeiten über die USA liest, darf man nicht vergessen, wie sehr sich mit diesem amerikanischen Radikalenerlaß die Grenzen zum bekämpften Faschismus verwischten.

Das zentrale Ereignis des amerikanischen Exils ist für Anders indessen die Vernichtung von Hiroshima und Nagasaki: Die Bombe wird gleichsam zur negativen Muse seiner Philosophie. Kann man pointierend sagen: Adorno – das ist Denken nach Auschwitz, dann ist Anders: Denken nach Hiroshima.

Die Bedeutung dieses Einschnitts war Anders nach eigener Auskunft von der ersten Nachricht an klar.[32] Die begrifflich-analytische Erfassung freilich brauchte noch ein ganzes Jahrzehnt. Und gerade das hat mit der Sache dieses Denkens zu tun: Das Ereignis war zu groß, zu unvorstellbar, in seinen Folgen zu unabsehbar, um sofort begriffen, wirklich eingeholt zu werden. Jeder Erfassungsversuch hinkt diesem schlechthin Neuen hoffnungslos nach.

So kommt es, daß Anders nach seiner Rückkehr nach Europa – er geht nach Wien, die Restauration in der BRD und der Stalinismus in der DDR locken den Radikaldemokraten nicht – erst 1956 im ersten Band der *Antiquiertheit des Menschen* seine Philosophie der Bombe und der menschlichen »Apokalypse-Blindheit« entwickeln kann. Das allerdings tut er so konsequent und wieder mit einer so entschiedenen »Desertion in die Praxis«, daß er bald zu einem der Sprecher der weltweiten Anti-Atom-Bewegung wird. Er besucht Japan, korrespondiert in einem berühmt gewordenen Briefwechsel mit dem sogenannten »Hiroshima-Piloten« Claude Eatherly[33], der nach dem Bruch mit seiner Bombenvergangenheit in Konflikt mit Staat, Militär und Justiz geraten war. Und Anders engagiert sich in der Ostermarschbewegung. Doch mit deren Austrocknung in der Bonn-Bad Godesberger Republik verschwindet auch er selber wieder weitgehend aus dem Bewußtsein der Öffentlichkeit. Selbst die Studentenbewegung, für die er als entschiedener Vietnamkriegs-Gegner eigentlich ein möglicher Mentor gewesen wäre, läßt ihn eher am Rande liegen: Mit seiner These, daß es nicht um Systemfragen, sondern um globale Technokratieprobleme gehe, steht er quer zu den studentischen Impulsen. Erst im Laufe der siebziger, voll dann in den achtziger Jahren wird Anders zu einer Zentralfigur der Technik-Diskussion, wie etwa der Friedenspreisträger Hans Jonas, von dessen moderater, metaphysisch traditionsorientierter Philosophie sich Anders indes erheblich unterscheidet. Heute lebt der neunzigjährige Anders, schwerkrank und doch weiterarbeitend, im neunten Wiener Bezirk, wo vor der faschistischen Vertreibung schon eine andere kritische Theorie, die Freuds, ihre Heimstatt hatte.

Überblickt man diese Lebens- und Werkgeschichte zusammenfassend, so läßt sie sich, natürlich vereinfachend, in zwei Phasen mit zwei thematischen und historischen Schwerpunkten gliedern, wie Anders es selber in der Einleitung seiner *Schriften zur Kunst und Literatur* getan hat.[34] Bis 1945 steht seine Arbeit unter dem Akzent »Mensch ohne Welt«. Diese Formel, die Anders gegen die – freilich ihrerseits mehrdeutige – Heideggersche Rede vom »In-der-Welt-Sein« des »Daseins« wendet, meint für ihn in diesem Zusammenhang verschiedenes:

Zunächst die schon erläuterte »negative Anthropologie« des unfestgelegten Menschen, der per definitionem keine bestimmte Welt hat.

Dann jene Weltlosigkeit, die das paradoxe Resultat der zu vielen Welten im kulturellen Pluralismus ist. Wo jeder Wahrheitsanspruch von vornherein an die bloße Meinung preisgegeben wird und die Moral, gar eine politische Tendenz, die Kunst »besudelt«; wo im Supermarkt der Kulturwaren alle Produkte getrennt marschieren, um vereint verkauft zu werden, und wo selbst ideologische Todfeinde kommerzielle Alliierte sind; wo sich das allgemeine Menschenrecht auf gleiche Teilhabe als »Allgemeinheit des Lutschrechtes« an den kulturellen Zuckergütern konkretisiert – da gibt es mit den unendlich vielen Welten eben wieder *keine* Welt.

Natürlich wäre Anders sofort zu fragen, wie sich diese Pluralismuskritik zu seiner »negativen Anthropologie« verhält – eigentlich nur logisch, daß das nicht festgelegte »Wesen« viele Welten hat. Außerdem stimmt die Schelte der kulturellen Vieldimensionalität nur bedingt mit den Thesen zur Eindimensionalität des sanften medialen und kommerziellen Terrors zusammen, die Anders mit der Kritischen Theorie verbinden.

Hier ist eine weitere Bedeutung der Formel »Mensch ohne Welt« einzuführen, und zwar eine, die sich dem werkgeschichtlichen Schema nicht fügt – Anders hat sie in den beiden Bänden des Hauptwerks immer wieder thematisiert[35], in den *Schriften zur Kunst und Literatur* aber beiseite gelassen. Die Medien- und Konsumgesellschaft hat die Welt *als* Welt, das heißt für Anders: als etwas Unabsehbares, Sich-Entziehendes, Widerständiges, das nie in Bildern, Formeln, Rechnungen aufgeht, annulliert und durch ihre Produkte ersetzt. Die Welt ist zum bloßen Rohstoff geschrumpft, für die Medien zum bloßen Lieferanten von Bildern. In diesen Phantomen, die verkappte Urteile sind[36], kommt sie scheinhaft zum Menschen, der eben deswegen nicht mehr wirklich *in* der Welt ist. Anwesend und abwesend zugleich, zum Fernsehnippes gemacht, verbiedert, von Masseneremiten in einer scheinbaren Privatheit konsumiert, wird die Welt nach der aktualisierten Formel Schopenhauers, der eines medialen Idealismus, »meine Vorstellung«. Dieses Possessivum aber ist ebenfalls scheinbar. Denn wenn die Weltphantome ihrerseits wieder zu prägenden Matrizen werden und alles am Ende nur noch das Abbild der Bilder ist, dann wird auch der Mensch als individueller, widerständiger, sich entziehender phantomisiert. Kurz: In der nahtlosen wechselseitigen Anpassung von Welt und Mensch wird sowohl die Welt wie der Mensch zum Verschwinden gebracht.

Das klingt prekär genug – um so peinlicher, als man ja nur schlecht die Medien derart verteufeln und gleichzeitig von ihnen Gebrauch machen kann, wie es auch Anders bei verschiedenen Gelegenheiten getan hat. Allerdings hat er sich und uns doch das eine oder andere Schlupfloch gelassen. Der televisionären Invasion von Vietnam »into the American homes« zum Beispiel hat er sehr positive politische Bedeutung zugeschrieben.[37] Ich meinerseits habe die Hoffnung, daß eine teleakademische Vorstellung[38] von »Günther Anders« die provokative Kraft von Günther Anders nicht ganz zum Verschwinden bringt.

Das mag deutlich werden, wenn man sich eine weitere Bedeutung seiner Formel »Mensch ohne Welt« vergegenwärtigt: Sie meint in einem wieder peinlich aktuellen Sinn den zum Nichtstun verdammten, den arbeitslosen Menschen: Weil unter den gegebenen Bedingungen, die zwar nicht eigentlich die Arbeitslosigkeit des Arbeiters, aber um so mehr die Arbeit*er*losigkeit der Betriebe wollen, die Welt mit Arbeitern überbevölkert ist, fehlt dem Arbeiter seine Welt. Zugleich umgreift dieser dritte Sinn auch jene Form von Tätigkeit, die unter fortgeschrittenen Automatisierungsbedingungen mit paradox arbeitslosen Formen des Arbeitens, des Wartens, des Bedienens identisch geworden ist[39]: höchst anstrengend zwar, aber schweißlos, betrogen um die traditionelle Selbsterfahrung des Arbeitenden, der noch sagen konnte: »Ich arbeite im Schweiße meines Angesichtes, also bin ich – laboro, ergo sum.« Arbeit als Scheinmuße: Am Ende ist man fertig, ohne irgend etwas Fertiges zu sehen.

Schließlich meint die Formel Menschen, die *innerhalb* einer Welt zu leben gezwungen sind, die nicht die ihrige ist; die nicht *für sie* gebaut ist, obwohl möglicherweise *von ihnen* erbaut; die nicht *für sie* produziert ist, obwohl möglicherweise *von ihnen* produziert: Beherrschte, Ausgebeutete, Hegels Knecht, das Proletariat... Aber wir haben auf dem Hintergrund von Anders' bitterer lebensgeschichtlicher Erfahrung auch andere Außerhalb-Bleibende hinzuzufügen, die zur Kafkaschen Welt der Schlösser nicht zugelassen worden sind, nur zu der der Prozesse[40] – und zwar derjenigen *gegen* sie: Emigranten, mehr noch Juden und – tödlichste Form des Nicht-in-der-Welt-Seins – Deportierte, Lagerinsassen, KZ-Häftlinge: Auschwitz die schlimmste aller möglichen Welten, die für den Menschen keine sind. Ja, es wäre auch zu fragen, ob die Menschen seit Hiroshima und Nagasaki, unter einer permanenten totalen Tötungsdrohung, noch eigentlich *in* der Welt und in *ihrer* Welt sind. Indes ist damit schon die Grenze zu jener »Welt ohne Mensch« überschritten, unter die Anders seine zweite lebens- und werkgeschichtliche Epoche stellt.

In bezug auf diesen Themenwechsel spricht Anders, zur Abwechslung einmal *mit* Heidegger, von einer »Kehre«[41] (wohlgemerkt keiner »Wende«). »Welt ohne Mensch« – das heißt: Seit Hiroshima und Nagasaki ist aus dem Geschlecht der Sterblichen das sterbliche, das tötbare Geschlecht geworden, eine buchstäblich verschwindende Größe. Abel, nicht Adam, in einer Welt ohne überlebenden Noah, ohne Arche, ohne verschonten Loth, bezeichnet die neue Gattungsperspektive.[42] Deswegen gibt es seitdem nicht unter anderem *auch* die atomare Drohung, sondern die Zeit – eigentlich kein Zeitalter mehr, das von anderen abgelöst werden könnte, sondern eine Endzeit, eine Restzeit, eine »Frist« – ist dadurch definiert. Erschütterte das Erdbeben von Lissabon einst für das Zeitalter der Aufklärung den Glauben an den guten und allmächtigen Gott, so ist in Hiroshima die menschliche Daseinsgewißheit explodiert – und mit ihr auch jene Dimensionen und Kategorien, die der Gattungsgeschichte bisher beruhigenden Bestand gaben. Und ein Denken, das überhaupt noch etwas besagen will, wird dieser doppelten Explosion nachzudenken, dem atomaren Schatten, den sie über jede Zukunft wirft, *vor*zudenken haben.

Anhand von zwei biographischen Symbolen läßt sich dieses Denken im Schatten von Hiroshima exemplarisch veranschaulichen:

Das erste, zugleich eines für die Brüche, die Verwerfungen, die Dissonanzen der Epoche, ist eines, das gleichsam mit den Händen spricht: Es empfiehlt sich, einmal eine Aufnahme der Hände von Anders anzusehen. Diese arthritisch verknoteten Knäuel sind nichts weniger als harmonisch und parallel geführte Hände, wie sie auf den Spuren Dürers in deutschen Wohnstuben zu Tode zitiert, von Rodinschem Kathedralenkitsch vorgebetet und erst von Klaus Staeck sachgerecht verschraubt worden sind: Schmerzfrei nach oben oder sonstwohin führt hier nichts mehr. Ja, wenn man will, kann man sogar eine atemberaubende Entsprechung zu dem Lebensthema von Anders seit 1945 entdecken: Für die »Aufklärer« über Hiroshima glich die Stadt schon vor der Bombardierung einer entstellten Hand. Aber – und das ist eine beispiellose Leistung: Diese Hände schreiben weiter. Und was von ihnen zu lesen ist, das ist unbequem gradlinig – eben anders als das meiste sonst.

Das zweite Symbol ist das Pseudonym »Anders«. Denn dieser Anders ist ein anderer; der »Stern« des unter diesem Namen Geborenen weicht – postmodern würden wir wohl sagen: einer »Chiffre der Differenz«; deutlicher wäre es, von einem Zeichen des Widerstands zu sprechen. Biographisch ist das Pseudonym ein Erwerb der frühen dreißiger Jahre: Herbert Ihering, der Kulturpapst des ›Berliner Börsencouriers‹, ließ den jungverheirateten Erwerbsschriftsteller eines schlechten Tages wissen, daß doch nicht gut die Hälfte aller Courier-Artikel mit »Stern« signiert sein könne. Worauf der vorschlug: »Dann nennen Sie mich doch irgendwie anders.« Und der Papst sprach: »Gut, nun heißen Sie also außerdem Anders.«[43]

Ein zufälliger, ein kontingenter Name also zunächst, dann jedoch, und das zunehmend, übereinstimmend mit der Aufwertung des Adverbs zum Eigennamen im Gespräch mit Ihering, ein immer sprechenderer Name, kein Pseudonym mehr, sondern ein Veronym: »Anders« – das wird zum lebensgeschichtlichen Symbol der Nicht-Zugehörigkeit des Juden, des Ketzers, des Linken, des Emigranten.

Gerade das Nicht-aufgenommen- oder Herausgetrieben-Sein, das allen Lebensplänen widerspricht, wird indessen zur Chance der Vorurteilslosigkeit, der wirklichen Welterfahrung, wie Anders just in Hollywood von einem dialektischen Pädagogen B. wie wohl Brecht lernt.[44] Wer, wie im griechischen Mythos der »Blut- und Bodenkerl« Antaios, nur seine Kraft aus dem Ursprung, dem Kontakt mit dem angestammten Grund bezieht[45], der bleibt erfahrungslos.

Die »falsche« Erfahrung wiederum ist es, die für die Wahrnehmung der Brüche, der Widersprüche, der Diskrepanzen sensibilisiert. Und damit ist man schon im Zentrum dessen, was Anders dann im Gegensatz zur Identitätsphilosophie des deutschen Idealismus seine »Diskrepanzphilosophie« nennt: Ob nun »Mensch ohne Welt«, »Welt ohne Mensch« oder »Antiquiertheit des Menschen« – ein tiefgehender Riß geht durch Mensch und Welt.

Wo aber der sanfte mediale und kommerzielle Terror diesen Riß nur in falschen Harmonisierungen aufhebt, da wird die Andersheit schließlich zum Inbegriff des Nicht-gleichgeschaltet-Seins.

Das bessere Gegenbild einer wirklichen Einheit von Mensch und Welt, jedenfalls von Mensch und Erde, hat Anders nur in seinen »Reflexionen über Weltraumflüge« entworfen, veröffentlicht unter dem Titel *Der Blick vom Mond*.[46] Zwar macht dieser Blick von außen das kopernikanische Wissen sinnfällig, wie sehr wir kosmische Exzentriker, Strandgut des explodierenden Universums sind und wie es aussähe, wenn die Erde endgültig »vermondet« wäre. Andererseits setzt der Blick von außen die alten Binnengrenzen zwischen Eigenem und Fremdem außer Kraft. Heimweh wird zu Erdweh. Wie vorher negativ Hiroshima, so eint jetzt positiv der Mond gleichsam die Erde.

Wenn freilich zugleich die alten nationalen Prestigeobjekte in den Kosmos exportiert und der alte geo- und theozentrische Mittelpunktwahn erneuert wird, dann fallen wir sofort wieder ins Antiquierte zurück. Nur in einem Punkt bleibt so die kosmische Exkursion vorbehaltlos exemplarisch: in der geglückten Rückkehr der Astronauten. Sie steht für die Rückholung, die Einholung des menschlich und technisch sonst heillos Entglittenen. Nicht zuletzt deswegen hat Anders den *Blick vom Mond* dem später von ihm so gescholtenen hoffnungslosen Dauerhoffer Ernst Bloch gewidmet. Das Prinzip Hoffnung, realisiert in der Einheit von Mensch und Welt – das wäre in der Tat anders als Anders.

II. Welt ohne Mensch

Der 6. August 1945, an dem der US-amerikanische Bomber »Enola Gay« über Hiroshima die erste Atombombe abwirft, und der 9. August, an dem Nagasaki verbrannt, verstrahlt wird, flankieren ein anderes Datum, das Günther Anders das »monströseste Datum« der Geschichte nennt[1]: Am 8. August 1945 wird die Charta des Internationalen Nürnberger Militärtribunals verabschiedet, die erstmals juristisch den Begriff der Verbrechen gegen die Menschlichkeit formuliert. »Monströs« kann man dieses Datum in dieser zeitlichen Nachbarschaft wohl mit Grund nennen. Freilich wird es in der Stunde Null des Atomzeitalters begleitet, vielleicht sogar überboten von anderen Monstrositäten, die symptomatisch für die Situation des antiquierten Menschen in einer destruktiv avancierten technischen Welt sind.[2]

Die Bombe von Hiroshima etwa, die meist Zivilisten mit einem entsprechend hohen Prozentsatz an Frauen und Kindern auf dem nicht vorhandenen Bombengewissen hat, hieß sinnreicherweise »Little Boy«, »Kleiner Junge« – die Maschine, die sie ins Ziel trug, folgerichtig »Enola Gay«: nach dem Namen der Mutter des Bomberkommandanten – mit der Konsequenz, daß der Schoß dieser Mutter über Hiroshima einen kleinen Jungen gebar, der seinerseits ein ganz eigenes Verhältnis zu Müttern und Kindern hatte.

Auch ein Vater kam bei der Vernichtung von Hiroshima zu Ehren: »Dem Vater aller Gnade, dem Ewigen und Allmächtigen Gott«, hatte der einsegnende Militärgeistliche alle diejenigen betend ans Herz gelegt, die den Kampf zu ihren und seinen Feinden vortrugen: offenbar erfolgreich, denn das Wetter war so gut, die Abwehr so gering, das Ziel so ideal, daß die Maschine sogar auf die automatische Steuerung umgestellt werden konnte, also eigentlich keine menschlichen Täter mehr vorhanden waren. Die wußten bis auf den Kommandeur und den Waffenkonstrukteur an Bord ohnehin nicht recht, worum es ging: »Atombombe« war ihnen noch einige Zeit danach ein völlig unbekanntes Wort. Das unterschied sie zwar einerseits von den meisten beteiligten Wissenschaftlern, die die fatale neue Sonnengeburt auf dem allerheiligsten Testgelände von »Trinity« sehr wohl registriert hatten: Einige davon hatten sogar erfolglos für einen humanen Aufschub, für eine warnende Demonstration ihrer Erfindung plädiert. Es verband die Hiroshima-Boys aber mit ihrem obersten Befehlshaber, der bei seiner Rückkehr aus Potsdam nach dem sonntäglichen Morgengottesdienst dem »größten Ereignis der Geschichte« applaudierte. Und dessen Feiern ließen sich denn auch nicht lumpen. Die »Helden von Hiroshima und Nagasaki« wurden natürlich hochdekoriert; und – es gab ein Festessen, danach einen Technicolor-Film mit dem Titel *It's a pleasure*.

Dieses Pläsier ist bei den meisten Beteiligten bis heute – jedenfalls an der Oberfläche – ungebrochen geblieben. Nur drei haben andere Konsequenzen gezogen: Der Bekannteste unter ihnen ist der schon erwähnte Briefpartner von Günther Anders: Claude Eatherly. Er war der Kommandant des Wetterflugzeugs über Hiroshima, der der »Enola Gay« das »Go-ahead-Zeichen« gab. Er war also einerseits *nicht »der* Hiroshima-Pilot«, als der er im Titel – wohlgemerkt nicht in den Texten! – des Briefwechsels firmierte.[3] Gerade seine bloß mittelbare Beteiligung aber macht ihn typisch für die arbeitsteiligen Destruktionsprozesse von heute. Er war nur ein Mittäter, ein Ausführender, ein Befehlsempfänger sowieso – und das hätte ihm eigentlich erlaubt, sich wie die meisten seiner Kameraden als eine Art atomarer Eichmann reinzuwaschen. Statt dessen hat Eatherly immer wieder den Versuch gemacht, das Unvorstellbare zu begreifen, zu betrauern, für das er mitverantwortlich war, ja, auch seiner »zweiten Schuld« gerecht zu werden, als die er sein verspätetes Schuldbewußtsein verstand. So ist Eatherly, wie auch immer man ihn sonst sehen mag, zur exemplarischen Schwellenfigur, zum Anti-Eichmann des Atomzeitalters geworden: zum Dissidenten des Apparats.

Formuliert man das Problem, das sich in der Geschichte von Eatherly, von Hiroshima und Nagasaki stellt, mit Anders[4] theoretisch und prinzipiell, so lautet es: Wir können mehr herstellen und anstellen, als wir vorstellen und verantworten können; Fühlen und Tun, Wissen und Gewissen, Seele und Apparat klaffen heillos auseinander. Herstellen, zynisch gesagt, können wir inzwischen jede Menge Leichen, weit mehr als die über 200000 von Hiroshima; vorstellen womöglich 200; betrauern vielleicht zwanzig; wirklich beweinen gerade zwei. Hochentwickelte Spezialisten, technische Virtuosen, die wir in unserer Eigenschaft als Pilot, als Konstrukteur, als Physiker sein mögen, sind wir zugleich emotionale Analphabeten, imaginative Legastheniker, moralische Idioten. Und das angeblich unteilbare Individuum ist längst in ein Dividuum zerfallen.

Dieses Gefälle zwischen Herstellen und Vorstellen nennt Anders nach einem der tragischen Titanen der griechischen Mythologie das »prometheische Gefälle«[5]: Der Feuerbringer, der technische Produzent Prometheus in uns ist avancierter als unsere anderen Vermögen. Wir sind zugleich größer und kleiner als wir selber: Titanen und Pygmäen.

Einerseits bestand das »prometheische Gefälle« nach Anders immer schon, seitdem Menschen überhaupt irgendwie produzieren: Die Griffweite, die Kapazität, die Elastizität der verschiedenen menschlichen Vermögen differiert prinzipiell. Zählen, rechnen können wir vermutlich seit geraumer Zeit weitaus besser als etwas mit den abstrakten Zahlen verbinden. Die Killerkapazität schon des Steinzeitmenschen war gewiß höher entwickelt als seine Fähigkeit zum Mitleiden. Und die Gefühle waren ohnehin allemal unbeweglicher als unsere Taten und Produktionen – weswegen sie weit mehr »Natur« als Geschichte zu sein scheinen. Insofern entwickelt Anders eine relativ unhistorische philosophische Anthropologie, die sich in Anlehnung an die Absicht der Kantischen Kritiken als Kritik der begrenzten menschlichen Vermögen versteht: von der Kritik der reinen, der praktischen Vernunft, der Urteilskraft zur Kritik der Vorstellungskraft, des reinen oder besser unreinen Gefühls ...[6] Die Kritik der Grenzen des Menschen ist dabei allerdings nicht mit traditionellen Reflexionen über die Endlichkeit des Menschen zu verwechseln; sie meint vielmehr eine Kritik der internen Grenzen, der Binnentranszendenz.

Dieses konstitutive Gefälle hat sich andererseits beim entfesselten Prometheus der industriellen Revolutionen so sehr eskaliert, daß das technisch-produktive Vermögen und die von ihm erzeugte Welt uns davongelaufen sind, mit der Konsequenz eines sich ständig und immer schneller vertiefenden Risses. Der Mensch ist zu einem gleichsam ungleichzeitigen Wesen geworden – und das heißt für seine unpromethei-schen, nichttechnischen Vermögen, ja, am Ende für ihn insgesamt im Gegensatz zur Geräte-Welt: Er veraltet immer mehr, schlimmer: Er ist bereits veraltet, antiquiert, wie der provozierende Titel von Anders' Hauptwerk sagt: »Wir sind von gestern« – eine wenig angenehme »Entdeckung der Langsamkeit«.

In diesem, dem zweifellos vorherrschenden Sinn bietet Anders eine entschieden historische Anthropologie, eine Theorie der Verspätung, die ihre Vorgänger etwa in Marx' Modell der Zeitverhältnisse von Basis und Überbau oder in William Ogburns Theorie des »cultural lag« hat.

An zwei höchst zwiespältigen Umkehrungen – »Inversionen«, wie Anders seine zentrale Denk- und Stilfigur nennt – ist der prekäre Fortschritt der Geschichte ablesbar. Die erste läßt sich als Inversion des Utopischen[7] fassen: Konnten wir bisher zumeist weit mehr vorstellen als herstellen, so läuft jetzt unser Vorstellungs-, richtiger: unser Nachstellungsvermögen unserem Herstellungsvermögen nach. Im Blick auf die literarische Tradition gesagt: Der Unsagbarkeitstopos seligen poetischen Angedenkens wird zum Unvorstellbarkeitstopos radikalisiert.

Drastischer noch die Inversion, die sich am Wandel des Prometheus-Motivs ablesen läßt: Bis zur Goethezeit ist Prometheus der titanische Revolutionär gegen die Herrschaftsordnung des Olymp; für den Goethischen »Sturm und Drang« wird er geradezu emphatisch zur Identifikationsfigur einer autonomen Welt- und Menschenschöpfung, die sich an *seinem*, nicht dem Götterbilde orientiert und nur Stolz, Trotz und Hohn für den obersten aller Götter übrig hat. Und noch für Marx ist Prometheus »der vornehmste Heilige und Märtyrer im philosophischen Kalender«[8]: Protagonist für die Befreiungsgeschichte einer Menschheit, die sich endlich und endgültig auf ihre eigenen Füße stellt.

Heute hingegen ist in der Sicht von Anders aus dem physisch-metaphysischen »Selfmademan« des 18. und 19. Jahrhunderts ein von »prometheischer Scham« erniedrigter Pseudo-Titan geworden, der ins Lager der Geräte desertiert und vor den eigenen perfekten Produkten in die Knie gegangen ist[9]; der sich selber nur noch als Fehlerquelle erfährt – »ich irre, also bin ich«; der sich im »human engineering«, im »cloning« nach dem Bilde der Dinge, eben nicht mehr seiner selbst, umschafft und als Konformist der technischen Welt alle ihre sogenannten »Sachzwänge«, zumal die Gleichsetzung des technisch Gekonnten mit dem Gesollten, gehorsam exekutiert: »Ich mich ehren, wofür? Wer bin ich schon?« lautet die Umkehrung des Goethischen *Prometheus.* Darauf und dagegen zielt das, was Anders seine »philosophische Anthropologie im Zeitalter der Technokratie« nennt[10], eine Philosophie also, die eine historische Lehre vom Menschen, eine Technik- und eine Geschichtsphilosophie miteinander vereint.

»Technokratie« meint dabei nicht oder jedenfalls nicht in erster Linie die Technokraten, eine Technikerkaste, die an die Technik glaubt und sie vergötzt, sondern im ursprünglichen griechischen Wortsinn: Herrschaft der Technik, die zum eigentlichen Subjekt der Geschichte geworden ist.[11] Der antiquierte Mensch ist gleichsam nur noch mitgeschichtlich. Die Subjekte von Freiheit und Unfreiheit haben sich vertauscht: Frei sind die Dinge, unfrei, stur, träge, nur schwer veränderlich und vor allem ein Versager ist der Mensch. Hätte der Apparat es überhaupt nötig zu sprechen, dann würde er das sagen, was der gehorsame und beschämte Prometheus freiwillig in seinem Namen sagt: *»Handle niemals so, daß die Maxime deines Handelns den Maximen der Apparate, deren Teil du bist oder sein wirst, widerspricht.«*[12] Eine tendenziell totalitäre Herrschaft also, die keinen Widerstand, keine Ausnahmen duldet. »Der Traum der Maschinen«, wie Anders sagt[13], zielt vielmehr auf die stetige Expansion der Maschinenwelt und die gleichzeitige Reduktion der Menschenwelt, mit der Endlösung eines reibungslos funktionierenden Gesamtapparats.

Wenn der noch nicht gleichgeschaltete Mensch aber dagegen aufbegehrt; wenn er sich, auch gegen die Beschreibung von Anders, empört darauf beruft, daß immer noch er es ist, der über die Dinge bestimmt, wie immer noch er es ist, der die Dinge in erster und letzter Instanz macht – dann, ja dann ist die Provokation wirksam geworden, die in der irritierenden Redeweise von der »Antiquiertheit des Menschen« liegt. Denn so sehr dieser Titel in diagnostischer Absicht die Zurückgebliebenheit des Menschen gegenüber der Avanciertheit seiner technischen Produktion betont, so wenig spendet er ihr seinen Segen. Einholung des »prometheischen Gefälles«, aber nicht im Sinne der beschämenden Gleichschaltung, lautet vielmehr das antiprometheische Programm.[14]

Einholung im subjektiven Sinn: Entwickle dein Vorstellungs-, dein Gefühls-, dein Gewissensvermögen: wie exemplarisch Eatherly. Entwickle, wie Anders postuliert, eine moralische Phantasie, die nicht hinter den Dimensionen deines technischen Vermögens zurückbleibt: Die moralische Bedingung der Wahrheit ist heute die Phantasie. Und das gilt um so mehr, als das apokalyptische Instrumentarium von heute nach fast nichts mehr aussieht. Auch das Aussehen ist gleichsam antiquiert[15] – und damit gerade das Sehen, das unsere Gesellschaft als zentrale Wahrnehmungsform etabliert hat. Das Auge ist blind – wie die Dinge sich nicht mehr zeigen. Wenn wir wirklich sähen, was wirklich ist, schwänden unsere schönen optischen Täuschungen dahin, hätten wir mehr realistische Angst. Und deswegen heißt »moralische Phantasie« auch: »Verdränge nicht, sondern kultiviere Deine Angst.«[16] »Und wenn Dein Angst-, Dein Vorstellungsvermögen immer wieder scheitert, dann vermeide nicht dieses Scheitern, sondern suche es, denn gerade es stößt Dich auf das, was Dir objektiv zu entgleiten droht.«[17]

Einholung deswegen auch, ja, vor allem im objektiven Sinn: Wenn die technischen Produktivkräfte für uns zu groß, zu schnell geworden sind; wenn wir gleichsam weiter werfen[18], weiter schießen, als wir sehen können, dann ist für eine Reduzierung auf das menschliche Maß zu sorgen; sagen wir es mit der Sprache der Industrie: für eine umfassende Rückrufaktion. Und der von seiner endgültigen Antiquierung bedrohte Mensch hat gegebenenfalls auch das Odium nicht zu scheuen, ihn treibe ein antitechnisches Ressentiment.

Die tödlichste Objektivation des feuerbringenden prometheischen Geistes: Das Ding aller Dinge, an dem alles menschliche Vorstellungsvermögen zuschanden wird, das prometheische Gefälle also seine Extremform erreicht, ist die Bombe. Was ist sie für Anders; und was ist sie nicht?[19]

Während die Militärs, die sogenannten ›Sicherheitspolitiker‹ gerne den Plural bevorzugen, spricht Anders entschieden von *der* Bombe im

Singular als dem Monstrum, mit dem die Apokalypse einer Welt ohne Menschen, vielleicht ohne Leben, möglich geworden ist. Der noch nach positiver Steigerung, nach ›guter‹ Unendlichkeit strebende Faust ist tot[20]: Ende des Komparativs – mit der Bombe ist für uns kosmische Parvenüs die negative Unendlichkeit, der negative Sprung ins Absolute erreicht. Der aber betrifft nicht nur Gegenwart und Zukunft, sondern auch die Vergangenheit. Mit dem Fortschritt des Geschlechts der Sterblichen zum sterblichen, zum tötbaren Geschlecht, dessen Gedächtnis niemand mehr feiern wird, lautet die Formel des wahren Overkills, des »zweiten« oder »ganzen« Todes, wie Anders in seiner Aktualisierung des Predigers Salomo sagt[21]: »Wir werden nicht einmal gewesen sein. Ja, niemand wird gewesen sein. Nichts war.« Die drohende Apokalypse, selbstgemacht und um so gründlicher, ist also ohne jede messianische Verheißung: »Apokalypse ohne Reich«.[22] Wenn die Erde nach den Eingangssätzen der *Dialektik der Aufklärung* »im Zeichen triumphalen Unheils strahlt«[23], verschmelzen Welt-, Menschen- und Zeitenende.

Damit ist die Bombe ein im doppelten Sinn »Überschwelliges«: ein geschichtlich Überschwelliges[24], das für die Menschheit als schrankenlose Zeit- und Raumgenossenschaft jeden begrenzten Horizont sprengt: Es gibt nur noch Nächste, eine Internationale der Generationen[25]; in Hiroshima sind auch die traditionellen Nachbarschaftsethiken mitexplodiert. Sodann ein für die Vorstellung Überschwelliges, komplementär zum »Unterschwelligen« der Psychologie, weil dieses Monstrum jeder adäquaten Erfassung spottet.

So ist die Bombe ein zugleich physisches wie metaphysisches Ding, buchstäblich die Allmacht, die aus Allem Nichts macht. Etwas politischer, etwas weniger theologisch gesagt, ist die Bombe auf Grund dieser Qualitäten kein Mittel, keine »Waffe« mehr[26]: einer der provozierendsten Sätze von Anders, der jedem sicherheitspolitischen Kalkül radikal widerspricht. Denn hat die instrumentelle militante Vernunft die Bombe nicht gerade als das mächtigste aller Mittel entdeckt? Und sagt nicht Anders selber immer wieder, daß unsere Gesellschaft zu einem Universum der Mittel geworden ist? Zum Begriff des Mittels indessen gehört es, einem Zweck zu dienen, in einem Zweck aufzugehen – die Bombe aber transzendiert jeden denkbaren Zweck.

Hurtig ist hier natürlich der Einwand bei der Hand, daß die Bombe als Mittel der Abschreckung sehr wohl ein Mittel, sogar ein sinnvolles sei. Aber wer »glaubwürdig« abschrecken will, wie es immer so vertrauenerweckend heißt, muß für den Fall aller Fälle eben den Einsatz der Bombe wollen. Der aber – das ist das unhintergehbare Dilemma jeder Abschreckungspolitik – dient wiederum keinem noch irgendwie sinnvollen Zweck.

Insofern aber die Bombe die dinggewordene totale Tötungsdrohung ist, ist sie auch mehr als bloß ein Ding. Sie ist vielmehr eine geronnene, verfestigte Form von Handlung, eben von Drohung, von Erpressung. Und wer die Bombe hat, der hat sie folglich nicht als bloße Möglichkeit der Anwendung, sondern der wendet sie in diesem Sinn immer schon an. Der kategorische Imperativ von heute lautet demgemäß: *»Habe nur solche Dinge, deren Handlungsmaximen auch Maximen deines eigenen Handelns werden könnten.«*[27] Umgekehrt gesagt: Wenn »jeder diejenigen Prinzipien hat, die das Ding hat«, das er besitzt, dann sind die »Herren der Bombe«, wie wertefreudig, wie human, wie harmlos auch immer sie sich geben mögen, »Nihilisten in Aktion«.[28] Und nur Zyniker mögen sich an ihrem Spruch erfreuen: »Wie gut, daß der Schmutz nicht in schmutzigen Händen liegt...«

Den Schleier der Werte brauchen sie freilich gar nicht eigens über das apokalyptische Ding aller Dinge zu werfen. Denn den vorstellungsunfähigen Menschen haben längst eine Reihe realer geschichtlicher Momente »apokalypse-blind« oder gar als Konformisten des Apparats apokalypse-geneigt gemacht. Da sind, erstens, die Veränderungen der Handlungsformen und der Arbeitsorganisation.[29] Aus dem Handeln ist ein Tun geworden; aus dem Tun ein Machen; aus dem Machen ein Arbeiten, aus dem Arbeiten ein Apparate-Bedienen (im doppelten Sinn des Bedienens); aus dem Bedienen ein Warten (im doppelten Sinn der Apparatpflege und des Wartens auf den kleinsten oder auch größten anzunehmenden Störfall); und alles Warten und Bedienen hat sich auf das Drücken ominöser Knöpfe reduziert. Der vorherrschende Handlungstypus ist also gleichsam medial und neutral. Das menschliche Subjekt spielt eigentlich keine aktive Rolle mehr.

Mit diesem Prozeß einher geht eine ins Extrem getriebene Arbeitsteilung, die aus jedem Machen ein Mitmachen, aus jedem Arbeiten ein Mitarbeiten macht – alle Kooperation freilich weitgehend ohne Kommunikation.

Und schließlich bekommt eben deswegen kaum jemand noch das eigentliche Ziel des Produktionsprozesses und die Gestalt seines Endproduktes in den Blick: Alles wird indirekt, mittelbar zum Ergebnis hin, gleichsam »geköpftes Machen«, gestaltlos und zielblind, »teloslos« und »eidoslos«, wie Anders mit zwei Begriffen sagt[30], die den terminologischen Bestand der platonisch-aristotelischen Philosophie negativ aktualisieren. Nicht nur die Produktionsmittel, auch die Produktionsziele sind enteignet. Das prometheische Gefälle zwischen Herstellen und Vorstellen bestimmt bereits den Produktionsprozeß. Kurz: Menschen ohne Eigenschaften produzieren Dinge ohne Eigenschaften.

Die Schlußfolgerungen für alle Bombenfragen lauten: Keiner *tut* hier im eigentlichen Sinn noch etwas. Alle arbeiten nur noch bedienend, wartend, auslösend irgendwie mit, und das just in dem Moment, wo die monströsesten Effekte möglich geworden sind. Aus Arbeitsteilung wird de facto Verantwortungsteilung – aber so, daß Verantwortung als solche überhaupt nicht mehr wahrgenommen wird. Gewissenhaftigkeit hat ohnehin das Gewissen, die Glätte der Funktion die Frage nach der Moralität der Handlung abgelöst. Am Ende ist niemand es je gewesen. »Schmutz geteilt durch tausend ist sauber.«[31] Und das gilt das um so mehr, als keiner, ausgenommen höchstens die Opfer, den Schmutz noch sieht. Technisch hochspezialisierte Destruktionsangestellte, Soldaten genannt, stellen vielmehr Leichen her, die sie schon in der Geschichte Hiroshimas und Nagasakis überhaupt nicht mehr zu Gesicht bekommen haben. Unter Raketenbedingungen wissen die Bedienungsmannschaften nicht einmal mehr, wo ihre Produkte einschlagen werden. Tatort und Leidensort sind vollständig auseinandergefallen; Anders spricht in diesem Sinn von »Schizotopie«.[32] Kurz und schlecht: Je indirekter und je maßloser die Effekte, um so geringer die Hemmungen.

Die sogenannten »Täter« wiederum sind so weit von ihren anderen menschlichen Vermögen entfernt, daß sie auch ihrerseits zutiefst gespaltene, schizophrene Personen sind, die überhaupt nicht mehr fühlen, wahrnehmen, begreifen, was sie tun. Gerade deswegen aber; gerade, weil sie so hoffnungslos hinter sich selber zurückgeblieben sind, spielen sie so hervorragend mit; gibt es nicht einmal mehr, wie in früheren Modellen des dualistisch gespaltenen Menschen, einen inneren Streit. In bezug auf das »prometheische Gefälle« gesagt, dessen Theorie sich hier in ebenso paradoxer wie plausibler Weise mit der Diagnose der Eindimensionalität verbindet: Wenn das Gefälle so groß geworden ist, daß die verschiedenen menschlichen Vermögen einander überhaupt nicht mehr sehen, dann ist auch die Kollaboration am zuverlässigsten, der antiquierteste Mensch der perfekteste Konformist des Apparats.[33] Die Eichmänner, »wir Eichmann*söhne*«[34], wie Anders mit einer bezeichnenden Wendung sagt, die die von Hannah Arendt festgestellte »Banalität des Bösen«[35] ausweitet zur repräsentativen bösen Funktionalität; die Wernher von Brauns, die hüben wie drüben unter allen Umständen den Raketen dienen, nach dem Motto »Raketen aller Länder, vereinigt Euch!«; die Calleys, die im Massaker von My Lai endlich auch persönlich einmal so töten wollen, wie es die Apparate längst tun[36] – sie also und nicht die Eatherlys sind deshalb die Symptomfiguren der Epoche: Welt ohne Menschen auch in diesem Sinn.

Womöglich noch gravierender ist die tödlich eskalierende Logik der industriellen Revolutionen. Anders' Verständnis des Begriffs »industrielle Revolution« weicht dabei allerdings erheblich von dem üblichen ab: Er fragt nicht nach dem technischen »Wie?«, sondern nach dem »Was?« der Produktion.[37]

Die erste industrielle Revolution hat uns die maschinelle Erzeugung von Maschinen gebracht. Deren heillosem Produktausstoß ist wiederum nur noch eine zweite Revolution gewachsen: die künstliche Erzeugung von Bedürfnissen, die ihrerseits zugleich Produkt, Produktionsmittel und Produktvernichtungsmittel sind. Ob nun mit Hilfe der Konsumbedürfnisse, die die Reklameindustrie produziert; oder mit Hilfe des Fortschritts, der neben der Mode das entscheidende Mittel der Produktveraltung ist; der nicht eigentlich das Bessere will, sondern die Erledigung des Vorhandenen, nicht Zukunfts-, sondern Vergangenheitsproduktion; oder mit Hilfe des Zeitzünders, der den Waren als eine Art »Todestrieb der Produkte« eingepflanzt ist, auf daß sie sich nur vorübergehend im Stadium ihrer Verwendbarkeit aufhalten; oder schließlich mit Hilfe der neuen Tugend der Schonungslosigkeit, die uns sagt: »Wirf die Dinge weg! Liquidiere sie! Sei nicht anhänglich!« – überall wird hier ein Produktionskreislauf in Gang gesetzt, aus dem destruktive Momente nicht hinwegzudenken sind.[38] Die Grenzen zwischen Kriegs- und Friedenswirtschaft sind fließend – nicht nur in dem Sinn, daß Waffen ideale Waren sind, gleich ob sie nun in heißen Kriegen verbraucht oder in kalten der Produktveraltung durch Fortschritt in besonderem Maße offenstehen.

Nimmt man außerdem das hinzu, was Anders die Binnenrevolutionen nennt[39], so wird der Eindruck tendenzieller Destruktivität noch stärker: Wenn der Mensch in der Erzeugung neuer Elemente und in der Gentechnologie vom »homo faber« zum »homo creator« aufgestiegen ist, so hat er sich und die Welt dabei gleichzeitig zum ersetzbaren, disponiblen Material, zum »homo materia« gemacht.

Auf dem Hintergrund all dieser Momente ist schließlich die Konsequenz der dritten industriellen Revolution nur schlüssig: In der Produktion des Untergangs räumt sie mit dem ganzen von der ersten und zweiten Revolution geschaffenen Überschuß: den Produkten, der ganzen Produktionsmaschinerie und den Produzenten auf. Wegwerfgesellschaft, Wegwerferde, Wegwerfmenschheit gehören sozusagen logisch zusammen. Auch das Recycling kommt einmal an seine Grenze. Am Ende ist alles Abfall. Welt ohne Mensch. Welt ohne Leben. Welt ohne Welt.

Gegen diese düstere Beschreibung läßt sich gewiß einiges einwenden; ich sehe aber nicht, wie man die These bestreiten könnte: Produziert wird unter den gegebenen Bedingungen mit allen Mitteln und um jeden Preis – *und also destruiert*. Schwerer scheint mir allerdings der Einwand zu wiegen, daß Anders' apokalyptische Logik in die lähmende Monotonie der Affirmation umschlagen kann.

Pragmatiker, Fortschrittsgläubige, Technokraten, Sicherheitspolitiker, kurz: alle Positiven im Lande wiederum ziehen sich nur zu gerne damit aus der Affäre, daß das ganze apokalyptische Gerede der atomaren Kassandra jeden Bezug zu allen konkreten Verbesserungen, mittelfristigen Lösungen und überhaupt zu unserer allerwirklichsten Wirklichkeit vermissen lasse. Ich konzentriere mich deshalb lieber auf einige aktuelle Beispiele, die die Thesen von Anders belegen können und gleichzeitig Möglichkeiten der Veränderung, der subjektiven und objektiven Einholung zeigen.

Die Scham etwa, mit welcher der vor seinen Produkten in die Knie gegangene Prometheus auf seinen Mangel an Perfektion reagieren soll, scheint auf den ersten Blick eine befremdliche Konstruktion. Wie sollte er sich denn seiner selbst im Angesicht der Dinge schämen, da er doch ihr Macher ist?! Indessen kann uns jeder Blick in die Katastrophenmeldungen von den einschlägigen Symptomen überzeugen. Denn wo immer es einen kleinen oder auch größeren Unfall gibt – sei es nun mit einem Airbus, einem Tanklastzug, in einem Chemiewerk oder einem AKW; in Basel oder Herborn, in Bhopal, Seveso oder Tschernobyl –, sofort ist der Herr der technischen Schöpfung mit seiner Entschuldung der Apparate und der Beschuldigung des Menschen bei der Hand. »Menschliches Versagen«, »der Faktor Mensch«, lauten allemal die Formeln einer Litanei, die prinzipiell nur einen Schuldigen, jedenfalls nichts weniger als eine Kollektivschuld der Dinge kennt. Ja, wir scheinen die größte Befriedigung zu empfinden, wenn wir uns reuig an die eigene fehlerhafte Brust klopfen können, während die so erstrebenswerte »weiße Weste« längst der Dress der Apparate geworden ist.

Den Realitätsgehalt dieser Science-fiction braucht man kaum eigens zu diskutieren. Denn selbst eingeräumt, daß die Apparate an sich kaum Fehler machen: Wenn sie so wenig mit dem Menschen rechnen, daß jeder unserer Fehler so gravierende Folgen hat; wenn die Apparate uns so unvollkommen adaptiert sind, daß menschliche Fehler gar nicht ausbleiben können – dann ist jedes menschliche selbstverständlich ein technisches Versagen. Und der Imperativ, mit dem der antiquierte Mensch sich hier einholen könnte, lautet: »Habe, erwerbe, produziere, behalte nichts, was dich solche Fehler machen läßt!« Die Schlußfolgerungen für die »Entsorgung« – zum Beispiel nicht der, sondern *von* der Atomindustrie – liegen auf der Hand.

Mit ähnlichen Konsequenzen läßt sich zeigen, daß Anders' Begriff des »prometheischen Gefälles« zwischen Herstellen und Vorstellen auch und gerade technokratische Vorstellungen betrifft: Denkmodelle, Verhaltensmuster, die vielleicht einmal der wissenschaftlich-technischen Rationalität zugerechnet worden sein mögen, inzwischen aber hoffnungslos antiquiert sind: das angeblich Avancierteste, Modernste also als die zeitgemäße Form des Überholten. Drei Beispiele dafür.

Die Kalkulationen der Risikogesellschaft etwa beruhen nach wie vor auf dem Grundsatz traditioneller Wahrscheinlichkeitsrechnung, daß das statistisch Unwahrscheinliche das praktisch zu Vernachlässigende sei. Es ist aber ganz offensichtlich und auch schon oft genug demonstriert worden, daß diese quantitative Rechnung unter den Bedingungen der atomaren Drohung – auch der »friedlichen«, die sich nach Anders' sarkastischem Wort auf »Zeitbomben mit unfestgelegtem Explosionstermin« konzentriert[40] – jedes Recht verloren hat, weil sie die singulären Fälle vernachlässigt, die qualitativ ausschlaggebend sind. Wenn der frühe Wittgenstein gut positivistisch sagt: »Die Welt ist alles, was der Fall ist«[41], so gilt jetzt umgekehrt: »Ein Fall ist möglicherweise alles, was die Welt ist.« Die lernpsychologische Konsequenz daraus lautet: »Trial and error«, das Lernen aus Fehlern reicht als Modell nicht mehr aus, wo man nur noch *einen* Fehler macht.

Zweites Beispiel: Die öffentlich akzeptierten Sprachregelungen unterscheiden unter anderem die »Zwischen-« und die »Endlagerung« des nuklearen Abfalls. Nun möchte man aber gerne einmal wissen, was denn »Endlagerung« bei den bekannten Halbwertzeiten einschließlich aller möglichen geologischen und historischen Erschütterungen überhaupt heißen kann. Offenbar kommt hier bei den »Endlagerern«, die mühelos die Garantie für die nächsten Erdzeitalter übernehmen, das verschüttete eschatologische Temperament durch. Frohgemut rufen sie, die per definitionem nur Zwischenlagerer sein können, als wissenschaftlich wißbar, technisch machbar, politisch bald wieder durchsetzbar, die Endlösung der Endlagerung aus. Anders nennt das einen »Irrationalismus als Moral«, der dem Postulat folgt: »›*Du sollst von deiner Ratio keinen Gebrauch machen!*‹ Genauer: ›*Du sollst die Konsequenzen deines Tuns, auch wenn diese deinem Denken zugänglich sind, (...) nicht bedenken!*‹«[42]

Letztes Beispiel, ein prinzipielles für das eigentümlich widersprüchliche Verhältnis des antiquierten Menschen zur Zeit, zu den Zeitfaktoren: Einerseits gehen für die grenzenlose Zeit- und Raumgenossenschaft der Menschen unabsehbar langfristige und nicht umkehrbare Folgen von ihren technischen Produktionen aus. Zugleich verkürzen sich allen Verträglichkeitsprüfungen, allen TÜVs der Erde zum Trotz unter dem logistischen oder auch kommerziellen Druck, schnell, schneller zu sein, die Zeiträume zwischen Erfindung und Realisation. In jeder Hinsicht gilt: Die Vorwarnzeiten schrumpfen. Beide Zeitfaktoren aber, die zusammen ein wahrhaft katastrophales Ensemble bilden, hindern uns nicht, ökologisch in einem Entscheidungstempo zu verharren, das nun wahrhaft von der hoffnungslosen Betulichkeit eines antiquierten Menschen ist. Während die Zeitbomben unaufhaltsam tikken, findet jeder Gutachter gewiß seinen Gegengutachter. Die Wissenschaft ist natürlich immer noch nicht zu zweifelsfreien Ergebnissen gelangt: Wann wäre sie es je? Ganz im Gegenteil: darauf zu warten, das ist nicht wissenschaftlich, sondern naiv. Aber wir sind eben skeptisch, pluralistisch und tolerant – das ist der Punkt, an dem die Anderssche Pluralismuskritik trifft.[43] Und die Politik – sollte sie es etwa riskieren, vor der Wissenschaft einzugreifen? Kurzum: Zaudern als Beruf. Erlaubt scheint weiterhin, was nicht definitiv verboten ist, während die Zeit längst verbietet, was nicht definitiv erlaubt. Und antiquierte Menschen, die sich selber als außerordentlich rational verstehen, machen weiter wie bisher.

Es könnte also sinnvoll sein, wirklich rechnen zu lernen, unsere Zeitbegriffe zu revidieren oder unserem berufsmäßigen Zaudern abzuhelfen, das heißt: für die subjektive Einholung des prometheischen Gefälles zu sorgen. Das ginge freilich nicht ohne Schlußfolgerungen ab, die auch auf die objektive Einholung des uns Entlaufenen zielen. Anders hat verschiedene Methoden der »Zukunftsbewältigung« erwogen – zum Beispiel die Entwicklung einer neuen Arbeitsethik, die sich am hippokratischen Eid der Ärzte orientiert und die Weigerung einschließt, an der Herstellung, am Transport, an der Installierung, an der Bedienung und Wartung von Vernichtungsgerät mitzuarbeiten. Die Bereitschaft zum »Produktstreik«, orientiert an dem Mitbestimmungsrecht über die Produktionsziele, schlösse das ein.[44]

Anders selber hat dieses Konzept zwar für problematisch erklärt, weil es an der Indirektheit und Arbeitsteiligkeit heutiger Produktionsprozesse scheitere, zu schweigen von dem Arbeitszwang angesichts drohender Arbeitslosigkeit. In der Tat: Das Problem ist groß genug. Immerhin gibt es aber in der Vereinigung »Ärzte gegen den Atomtod« schon ein »hippokratisches« Beispiel einer solchen neuen Arbeitsethik. Der an der Einholung seiner Antiquiertheit interessierte Mensch wird sich weitere einfallen lassen müssen.[45]

Natürlich könnte Prometheus sich auch weiterhin seiner antiquierten Perspektiven erfreuen. Und wie das aussähe, will ich zum Abschluß mit zwei Fabeln des Schriftstellers Günther Anders illustrieren, deren schwarzer Humor zweifellos provokativ genug ist: Die erste ist die Titelerzählung aus dem *Blick vom Turm*[46]:

»Als Frau Glü von dem höchsten Aussichtsturme aus in die Tiefe hinabblickte, da tauchte unten auf der Straße, einem winzigen Spielzeug gleich, aber an der Farbe seines Mantels unzweideutig erkennbar, ihr Sohn auf; und in der nächsten Sekunde war dieses Spielzeug von einem gleichfalls spielzeugartigen Lastwagen überfahren und ausgelöscht – aber das Ganze war doch nur eben die Sache eines unwirklich kurzen Augenblickes gewesen, und was da stattgefunden hatte, das hatte doch nur zwischen Spielzeugen stattgefunden.

›Ich geh nicht hinunter!‹ schrie sie, sich dagegen sträubend, die Stufen hinabgeleitet zu werden, ›ich geh nicht hinunter! Unten wäre ich verzweifelt!‹«

Die zweite Fabel ist eine satirische Hommage an den Fortschritt und im übrigen gut für jedes Wort zum Sonntag geeignet; sie heißt *Umschmieden*:

»Nachdem er die zweitausend Schwerter und Spieße seiner Landsknechte durch neunhundert Musketen und hundert Kanonen hatte ersetzen lassen, ergriff der Landesfürst die Rechte seines Bischofs. ›Nun sind wir soweit‹, sprach er, während zehn Böllerschüsse die große Stunde des Triumphs, auf die sie seit einundeinhalb Jahrtausenden gehofft hatten, feierlich besiegelten, ›nun erfüllen sich Ihre schönsten Träume. Denn nun dürfen wir unsere Schwerter wirklich in Pflugscharen umschmieden.‹«[47]

Und wer schmiedete da nicht gerne mit.

III. Welt ohne Kunst

»Auf Hiroshima habe ich niemals ein Gedicht gemacht«[1], antwortet Günther Anders Fritz J. Raddatz in einem Interview vom März 1985. Mit gehöriger Strenge zur Rede gestellt, daß Adornos (nur scheinbar allzu bekanntes[2]) Wort, nach Auschwitz könne man keine Gedichte mehr machen – Nicht-Können im Sinne von Nicht-Sollen: eines strikten moralisch-ästhetischen Verbots –, nicht auf das Sujet beschränkt, sondern auf die gesamte Kunst danach bezogen sei (wobei es offenbar keinen Unterschied macht, ob es sich um Auschwitz oder Hiroshima handelt), repliziert Anders mit einer ästhetischen Todesanzeige: »Meine Muse ist, wenn auch nicht sofort, an Schrecken gestorben.« Und als der Kritiker schließlich mit dem Kronzeugentext der deutschsprachigen Nachkriegsliteratur, Celans *Todesfuge*, belegen will, daß die Kunst nach Auschwitz keineswegs tot sei, spitzt Anders ikonoklastisch zu: Die *Todesfuge* hat den Deutschen als bloßes »Alibi« gedient; als »Mittel« avantgardistischer lyrischer Vergangenheitsbewältigung; in Wahrheit ist sie wirkungslos, unverstanden, »unrezitierbar«, und wenn doch rezitiert, ein »skandalöser Kunstgewerbegegenstand« geblieben – wie krasser noch in der Musik Schönbergs *Ein Überlebender aus Warschau*, Nonos von Anders inspiriertes *Sul ponte di Hiroshima*, Pendereckis Auschwitz-Musik, Bernsteins Hiroshima-Operetten oder auch unter ähnlichen Bedingungen in der Malerei Picassos *Guèrnica*.[3] Die prinzipielle Rede vom »Ende oder Enden-Sollen der Kunst« will Anders zwar nicht erneuern – aber nur, weil derlei Fragen »wahrscheinlich (...) irrelevant« geworden sind. »Mit der Erlaubtheit von Lyrik nach oder über Auschwitz beschäftigen sich allein Leute, die an die Sache selbst (...) überhaupt nicht denken.«[4]

Von potenzierter Irrelevanz ist also möglicherweise betroffen, wer nach Auschwitz, nach Hiroshima über den Satz, danach könne man keine Gedichte mehr machen, noch weitere Sätze macht. Und diese peinliche Betroffenheit wird kaum geringer, wenn man sich die Bedeutung vergegenwärtigt, die dieses Votum hat. Denn es ist ja nicht feuilletonistisches Räsonnement, mit dem man auch nach dem Ende des Feuilletons dessen Spalten noch füllen könnte, sondern es wird von eben dem vorgetragen, der wie kein anderer zeitgenössischer Autor auf die Situation des Menschen nach Auschwitz, nach Hiroshima geantwortet hat – wirklich geantwortet, anders als andere kritische Theoretiker, denen Praxis gnädigerweise auf unabsehbare Zeit vertagt war.

Allerdings provoziert auch Anders' Votum, so klar es scheint, etliche Fragen. Das rigide Urteil über Celans *Todesfuge* mag man dahingestellt sein lassen; ebenso das Problem, ob Auschwitz und Hiroshima konvertible Sujets, gleichgewichtige Gründe für die Verunmöglichung der Kunst danach sind[5]; schließlich auch die Frage, ob alle Kunstformen gleichermaßen von diesem Verdikt betroffen sind. Aber inwieweit trifft denn überhaupt die moralisch-ästhetische Todesanzeige für die Andersche Muse, inwieweit das autobiographische Bekenntnis zu? Und wie ist die Begründung, wenn Anders' Bekräftigung von Adornos Diktum mehr als ein bloßes Verbot sein soll? Ich gehe diesen Fragen im folgenden mit einer gedrängten, das Gesamtwerk skizzenhaft einbeziehenden Untersuchung zu Günther Anders' ästhetischer Theorie und literarischer Praxis nach. Von ihrer Beantwortung erhoffe ich mir neben einem Beitrag zur noch jungen Anders-Forschung[6] implizite Aufschlüsse für eine kritische Theorie der Kunst »nach Hiroshima«, d. h. im Zeitalter der totalen technokratischen Kriegführung, d. h. der militanten Technokratie.[7]

Auf das Ganze seines Lebenswerkes gesehen, ist Anders zumindest in quantitativ gleichem Maße ebensowohl Schriftsteller wie Philosoph: Er selber hat immer wieder diese Doppelrolle betont.[8] Hinter diesem proportionierlichen »ebensowohl« stehen freilich signifikante Brüche. Gegen Ende der zwanziger Jahre hat Anders sich, wie schon ausführlicher dargestellt, unter dem Eindruck des heraufkommenden Nationalsozialismus von seinen bedeutenden philosophischen Anfängen ab- und einer politisch engagierten Literatur zugewandt. Obwohl nie dezidiert marxistisch, gibt die linke Literatur und bildende Kunst der späten

Weimarer Republik[9] hier den ästhetischen und politischen Orientierungsrahmen, an dem Anders auch während seiner Emigration festhält. Der Roman *Die molussische Katakombe*: eine »politische Swiftiade«, deren meist aphoristisch zugespitzten Fragmente öfters in den veröffentlichten Werken auftauchen; etliche Fabeln, Gedichte, Tagebuchnotate; die Erzählungen *Learsi* und *Der Hungermarsch*, letzterer 1936 ausgezeichnet mit dem Novellenpreis der Emigration, sind das literarische Resultat dieser Phase.

Wenn sie im Zeichen des »Menschen ohne Welt«[10] steht, so ist dieser gleichwohl möglicherweise noch ein »Mensch mit Kunst«.[11] Die »Welt ohne Mensch« indessen, die nach dem Schock von Hiroshima und Nagasaki, unter der Drohung eines globalen atomaren Holocaust ins Zentrum rückt, ist schon zu Zeiten ihres Vor-Scheins, folgt man Anders' Interview-Auskunft, eine Welt ohne Kunst, das heißt eine Welt, in der die Kunst keine Legitimität mehr hat.

Eine »Kehre«[12] also auch, was die Literatur betrifft; dennoch keine »Kehre«, was die politische und geschichtliche Motivation betrifft: Dasselbe Engagement, das Anders um 1930 zur »Desertion«[13] aus der Philosophie in die antifaschistische literarische Praxis bewegt, treibt ihn nach Hiroshima aus der Literatur in die Anti-Atom-Bewegung und die zugehörige Philosophie hinein, wenn auch in eine Philosophie, die nichts weniger als Schul- oder Universitätsphilosophie ist.[14]

Nun wäre es allzu billig, Anders mit der Beckmesserei seines Interview-Partners vorzurechnen, daß seine literarische Muse nach Hiroshima keineswegs völlig vor Schrecken verstummt ist. Zahlreiche Fabeln, Erzählungen und eben auch Gedichte belegen das Gegenteil, abgesehen davon, daß immer wieder literarisch-mythische Paradigmen – das »prometheische Gefälle«, die »prometheische Scham«, die Metamorphosen des »Zauberlehrlings«, Fausts Tod, Lynkeus' neues Sehen, Beckettsche »Endspiele« – im Zentrum seiner »Gelegenheitsphilosophie« (auch das eine literaturgeschichtliche Anleihe[15]) stehen und seine prinzipielle Hochschätzung metaphorischer Redeweisen die anhaltende Nähe der Bereiche bezeugt.

Mehr noch: Auch »auf Hiroshima« hat Anders nach Hiroshima im engeren oder weiteren Sinn noch »Gedichte« gemacht, wie es schon vor

Hiroshima Gedichte gibt, die das Schwellendatum des Atomzeitalters literarisch antizipieren. Die autobiographische Auskunft ist also allenfalls im Sinne von Tendenzen und Akzenten, nicht von Ausschlußbestimmungen zu verstehen. Heuristisch ist es ohnehin ergiebiger, den poetischen Selbstwiderspruch beim Wort zu nehmen und auf seine Aussagekraft zu befragen, als mit ihm gegen den moralistischen Anti-Ästhetiker recht zu behalten.

Das gilt noch entschiedener für die argumentativen Selbstwidersprüche, in die der Anti-Ästhetiker sich öfters verwickelt. Anstatt sie gegen ihn zu wenden und frisch gestärkten Mutes auch nach Hiroshima an den lieb gewordenen Kunstformen – und an der Form der Kunst – festzuhalten, tut man besser, mit diesen Widersprüchen das Problembewußtsein zu schärfen.

Anders hat seine (anti-)ästhetischen Überlegungen nicht systematisch zusammengefaßt, vielmehr gelegenheitsphilosophisch an verschiedenen Stellen seines umfänglichen Werkes, vor allem im zweiten Band der *Antiquiertheit des Menschen*, in seinen Schriften zur Kunst und Literatur *Mensch ohne Welt* sowie seinen *Tagebüchern und Gedichten* verstreut. Ohne Vollständigkeit anzustreben, gebe ich die für meine Fragestellung wichtigsten Thesen wieder.

Das eingangs zitierte Interview konzentriert sich auf die Frage der Angemessenheit der Kunst nach Auschwitz, nach Hiroshima. Der »sogenannte Ernst der Kunst«, auch wenn sie wie bei Celan, Schönberg, Nono ernst zu sein versucht, steht gegen den nicht nur sogenannten Ernst dessen, »was passiert ist«, und der »Situation, in der wir leben«; das Barbarische der jüngsten Geschichte gegen den spielerischen Genuß, Ästhetik gegen Ethik. Die bekannte Schillersche Sentenz aus *Wallensteins Lager*, die noch auf dem Boden der historischen Tragödie die Grenzen zwischen Kunst und Leben befestigt und die Bereiche abgesichert hatte, wird zum Verwerfungsurteil: Furchtbar ernst ist das geschichtliche Leben, pervers heiter, skandalös kunstgewerblich, absurd verspielt, am Ende nicht nur albern, sondern obszön und zynisch, ist die Kunst.[16]

Prekärer als dieses Urteil, das die Stärke und Schwäche aller moralistischen Urteile hat, ist ein zweites Argument: Ereignisse wie Hiroshima, Nagasaki, Auschwitz sind »von solcher Größe«, daß sie von der Kunst nicht mehr erreicht werden können. Mit seinen imaginativen Fähigkeiten ist der Mensch wie mit seinen emotionalen und moralischen Kapazitäten nicht mehr auf der schlimmen Höhe seiner Produktion und seiner Produkte, gleich ob es sich dabei um Geräte oder um Leichen handelt.

Die Konsequenzen dieser »Diskrepanzphilosophie« für die Kunst scheinen peinlich klar: Wenn schon, aus der Perspektive der subjektiven menschlichen Vermögen gesehen, das Vorstellen prinzipiell dem Herstellen aussichtslos hinterherläuft, dann ist die ästhetische Vorstellung von Vorstellungen potenzierte Antiquiertheit, die vermeintliche Avantgarde in Wahrheit eine Aprèsgarde, der titanische Dichterschöpfer von ehemals in Wahrheit kein Prometheus, sondern ein Epimetheus – wie Anders es drastisch an einem Lyriker exemplifiziert, dem er auf dem Boden von Hiroshima begegnet[17]: Dichten ist »eine provinzielle Tätigkeit« geworden, der Dichter, gleich ob er nun als vereinzelter anachronistischer Heimarbeiter an seinen Schreibtischspielen sitzt oder die Öffentlichkeit des Appells sucht, eine »Dorffigur«. Die Dorfgeschichte des Atomzeitalters aber gibt es nicht. Nach dem Vorbild des antiquierten Menschen ist auch der Dichter ein Gegenstand »prometheischer Scham«.

Oder, aus der Perspektive der »teloslosen« Taten, der »eidoslosen« Dinge gesehen: Ihre Unfaßlichkeit entzieht auch jeder Darstellung den Boden; das Horizontlose, Unphysiognomische, Unphänomenale, ins Indirekte Verflüchtigte verweigert der Kunst die Konturen, die sie braucht. Kurz: *Wie die Vorstellung wird die Darstellung nach Hiroshima zuschanden. Eine anthropologisch, historisch und technikphilosophisch begründete negative ästhetische Theorie wenn nicht vom Ende, so doch vom Scheitern der Kunst nach Hiroshima.*

Die genaue Datierung dieses Einschnitts wird zwar von Anders selber relativiert, wenn er z. B. schon die Döblinsche Großstadtepik mit dem Problem des »zu Großen« konfrontiert sieht[18], sich, noch weiter zurückgehend, auf Kants Bestimmung der »Grenze der Einbildungskraft« beruft[19] oder gar an die Visionen traditionellster Enormitäten: die Unermeßlichkeit von Gott und Welt und Natur erinnert[20]; insofern wäre auch werkgeschichtlich nach der Kontinuität des Themas bei Anders schon vor 1945 zu fragen. In seiner Absetzung gegen Kants Theorie des Erhabenen[21] hat er aber deutlich gemacht, daß es ihm um das spezifisch »zu Große« von heute, um das »Monströse« geht – eben nach Hiroshima: statt einer Ästhetik des Schreckens eine Anti-Ästhetik des Monströsen. Im Zusammenhang dieser Theorie werden denn auch andere Momente der Tradition von Anders aktualisiert, z. B. das jüdische Bilderverbot und die platonische Bilderverachtung. Die Ablehnung jeglicher Idolatrie, die – durchaus kultivierte – Neigung zum Ikonoklasmus[22] wird zu der Diagnose zugespitzt: Der »deus absconditus« der negativen atomaren Theologie von heute; das Gerät, das der ontologische Statthalter des Gottes geworden ist, geht nicht ins Bild ein. Und das platonische Verdikt gegen die Nachbildner der Nachbilder kehrt als »invertierter«, an der Idee des Monströsen orientierter Platonismus: als Absage an den »Schein des Scheins«, die Abbilder der Falschbilder wieder, in denen nichts mehr so aussieht, wie es ist.[23]

Und noch eine andere Tradition ist für das Verständnis der Andersschen Position hilfreich: Wenn er das Ende der Angemessenheit der Kunst proklamiert, dann erinnert das zwar fatal an die sattsam bekannten Beerdigungen, die seit den Hegel-Heineschen Nachrufen auf die Kunstperiode »immer mal wieder« für willkommenen Diskussionsstoff sorgen; aber gerade auf dem Hintergrund dieser Nachrufe erhält das Anderssche Verdikt zusätzliche Schärfe: Ist für Hegel etwa der Geist als das allein Wirkliche im Fortschritt der Bewußtwerdung seiner Freiheit *so* weit, daß er der Kunst nicht mehr bedarf, so ist für Anders das schlechte Wirkliche *zu* weit, als daß für es die Kunst noch reichte. Zwei Abgesänge also, doch der eine auf das Überflüssige, der andere auf das Unterlegene. Oder, um ein neueres Manifest der Kunst-Verabschiedung zu bemühen: Zerfällt für »Lord Chandos« »alles in Teile, die Teile wieder in Teile«, so daß er über nichts mehr zusammenhängend denken oder sprechen kann, so sprengt für Anders gleichsam die Kernspaltung der explodierenden Totalität jeden vor- oder darstellenden Erfassungs- und Umfassungsversuch. Die antiquierte Kunst mag sich allein mit der Antiquiertheit auch des Menschen trostlos zu trösten versuchen.

Diesen Antiquiertheitsdiagnosen steht freilich, durch den Titel des Hauptwerkes eher verdeckt, zweierlei entgegen: eine Kritik des realen »Kongruismus« und ein positiver »Synchronisierungs«-Entwurf. Anders attackiert einerseits vehement die sanften terroristischen Gleichschaltungen des technokratisch-kommerziellen und medialen Komplexes – die Rückprägung der Produzenten durch die Produkte, das »human engineering«, die Bewußtseinsmodellierung, die Ikonisierung der »Welt als Phantom und Matrize«... –, wie er andererseits die »Einholung« des »prometheischen Gefälles« postuliert.

Als Versuch des Subjektes, mit allen seinen imaginativen Fähigkeiten auf die zwiespältige Höhe seiner Machenschaften zu kommen, ist diese »Einholung« um den Begriff der »moralischen Phantasie«[24] zentriert, wobei »Phantasie« und »Vorstellung« für Anders' »moralistische Erkenntnistheorie« selbstverständlich nicht von den anderen antiquierten Fähigkeiten – auch Angst, Trauer, Mitleiden sind solche *Fähigkeiten* – zu isolieren sind.

Die »moralische Phantasie« ist, bezogen auf Anders' Basisanthropologie der menschlichen Vermögen, das Synthetisierungsorgan der unterschiedlichen Fassungskräfte. Bezogen auf die historische Akzentuierung der Diskrepanzlehre ist sie Synchronisierungsorgan. In beiden Fällen indessen dient sie nicht der Transzendierung, sondern der Einholung entglittener Realität. Auf Grund der »natürlichen Borniertheit unserer Vorstellungskraft«[25] und der unnatürlichen Kapazität unserer Herstellungskraft wird dieser Versuch zwar immer wieder scheitern: Anders revidiert seine Antiquiertheitsthesen keineswegs; das zu Große, zu Avancierte, Überschwellige bleibt vorstellungstranszendent. Nichtsdestoweniger hält er diesen Versuch für moralisch geboten, wie er seine Unterlassung als schuldhaftes Versagen interpretiert. »Produktives Scheitern«[26] heißt: Gerade die Erfahrung des Nicht-einholen-Könnens stößt auf das »prometheische Gefälle« und sensibilisiert für die ihm inhärenten Gefahren und Barbareien: »Dem Schock unseres Versagens wohnt (...) warnende Kraft inne. (...) ›Ich kann den Tateffekt nicht vorstellen‹, spricht er (der Scheiternde, L. L.). ›Also ist er ein monströser Tateffekt. Also kann ich ihn nicht verantworten.‹«[27]

Begriff und Programm einer »moralischen Phantasie« scheinen einerseits von vornherein zur Ästhetik hin offen. Eine emphatische Passage des ersten Bandes der *Antiquiertheit des Menschen* feiert die Kunst, den »Bereich der Phantasie« geradezu als den einzigen, in dem »Freiheit«, das heißt hier: die freie Erweiterung unserer Kapazitäten, noch möglich ist.[28] Die Musik gibt dabei für Anders das Modell dafür ab, daß mit neuen »Gegenständen« neue Rezeptionsvermögen einhergehen können.

Andererseits steht dem die von Anders deklarierte »Antiquiertheit der Phantasie« entgegen.[29] Doch diese zielt, näher besehen, auf das im traditionellen Sinn Phantastische, das von der technokratischen Realität von heute längst überholt worden ist, wie der Realismus von ehemals deswegen obsolet ist, weil Aussehen irreführend, Wahrnehmung inadäquat, Sinnlichkeit sinnlos geworden ist: Angesichts einer selber phantastischen Realität steht die postulierte Phantasieleistung jenseits der traditionellen Begriffe von »Realismus« und »Phantasie«. *»Phantasie hat, da ihr Gegenstand (...) selbst phantastisch ist, als eine Methode der Empirie zu funktionieren, als Wahrnehmungsorgan für das tatsächlich Enorme.«*[30] Eine moralische und allerdings auch ästhetische Finde-, keine Erfindungskunst ist intendiert, die die technokratische Wirklichkeit trifft, nicht übertrifft. Und so konkretisiert sich der Imperativ »Stelle Dir vor!«: »Schließe deine Augen und verlaß dich auf deine Phantasie.«[31]

Mit solcher Verläßlichkeit ist es freilich nicht so weit her: Unter dem Gesetz des »prometheischen Gefälles« wird auch die ästhetische Phantasie mit ihren Einholungsversuchen unangemessen bleiben. Gleichwohl bleibt der Versuch geboten: Die scheiternde Phantasie und gegebenenfalls die »Verzweiflung über ihr Scheitern« kommt der monströsen Realität immer noch am nächsten.[32]

Ohne einen der beschriebenen gegenläufigen Impulse preiszugeben, verbindet Anders also im ganzen die Lehre von der Antiquiertheit der Kunst »nach Hiroshima«, die die Konsequenz seiner Lehre von der Antiquiertheit des Menschen ist, mit dem Synthetisierungs- und Synchronisierungsprogramm einer moralisch-ästhetischen Phantasie. *Eine Theorie nicht vom Ende, sondern vom Scheitern, aber vom notwendigen und nötigen Scheitern der Kunst.*

In der kritischen Applikation hat Anders diese (anti-)ästhetische Theorie gemäß der ihr inhärenten Spannung höchst unterschiedlich angewendet und akzentuiert. Das ist hier nur mit einigen Beispielen anzudeuten.

Brecht etwa wird gänzlich in diesem Spannungsfeld gesehen: Er ist für Anders einerseits eine Art Eatherly der Literatur, der versucht hat, *»sein Gemüt auf die Höhe seines Geistes, seine Gefühle auf die Höhe seiner Einsicht zu bringen«*[33]. Und eben dabei hat er »mit höchstem literarischen Können« die Kategorie ›Literatur‹ in Frage gestellt.[34] Gleichwohl wertet Anders das *Leben des Galilei* schon in der Fassung von 1938 als nicht nur avantgardistisches, sondern geradezu prophetisches, höchst adäquates Gegenwartsstück über die Verantwortung des Wissenschaftlers im Zeitalter von Hiroshima.[35]

Auf dem Boden von Hiroshima selber, wo nur noch der sogenannte »Atombombendom« und das Mahnmal im Hypozentrum der Explosion der Zerstörung ein dingliches Denkmal setzen, erfährt Anders den Wiederaufbau als *»Zerstörung der Zerstörung«*[36]. Und die Denkmäler sind geschlagen mit dem Defizit aller Symbole, die maßlose Wirklichkeit eben nur symbolisch, und das heißt: nicht wirklich vergegenwärtigen zu können.[37] Nur das Ganze der Destruktion wäre das Wahre. Das Symbolische ist keine authentische Dimension der Kunst mehr.

Allerdings stieße die intendierte »adaequatio rei atque artis« wohl auf unüberwindliche Realisationsprobleme – abgesehen von der Frage, ob denn »das Ganze« überhaupt jemals zu haben und zu geben ist. Und was wäre, so wäre mit Anders gegen Anders weiterzufragen, wenn Hiroshima wirklich »überall« wäre? Mit anderen Worten: Je größer die Destruktionen, desto weniger können Kunst und Wirklichkeit übereinstimmen: nach Hiroshima eine unüberwindliche Grenze der Kunst. Die Antiquiertheit der Symbolik eröffnet indessen für Anders andere Formen der Kunst – zum Beispiel abstrakte, die überraschenderweise aus seiner Sicht nicht notwendigerweise zu der engagierten Kunst im Gegensatz stehen, die für ihn lebenslang verbindlich bleibt. Ob man aber die ungegenständliche Kunst insgesamt, wie er es gelegentlich vertritt[38], als strukturhomologe Entsprechung zur Zerstörung der Gegenstände, die Abstraktion als Pendant der Destruktion verstehen kann, ohne zu abstrakt zu argumentieren?

Plausibler ist wohl Anders' Dechiffrierung der Bilder des späten, des emigrierten George Grosz als Überführung der »nature morte« der Tradition in die »nature assassinée« eines Universums, in dem die Dinge so aussehen, »als wären sie *ihrem Wesen nach ermordete Dinge*; mindestens ermordbare«[39]. Mit der Fundamentalgleichung »Sein = Opfer-Sein«, die Anders in diesen Bildern entdeckt, würden sie dem apokalyptischen Status der Welt jedenfalls weitgehend gerecht.

Diese Realitätsgerechtigkeit billigt Anders angesichts der Antiquiertheit des Aussehens und des Realismus schlüssigerweise auch dem Surrealismus zu, vor allem der surrealistischen Konfiguration verdinglichter Menschen und vermenschlichter, personifizierter Dinge.[40] Anders versteht sie als durchaus geglückte Vergegenwärtigung der unter Technokratiebedingungen virulenten Vertauschungs- und Perversionsprozesse, denen zufolge die Subjekte von Freiheit und Unfreiheit sich so verkehrt haben, daß im wirklich gewordenen »Traum der Maschinen« die Dinge die Freien, die Menschen die Determinierten (und Exterminierten) sind.

Als eigentliche Kunst will Anders den *Holocaust*-Film keineswegs verstanden wissen[41]; daß es sich um ein typisches kommerzielles Hollywood-Produkt handelt, erscheint ihm vielmehr unzweifelhaft. Gleichwohl rühmt er, dessen Allergie gegen »die Welt als Phantom und Matrize« sonst nur noch durch die politische Wirkung der »TV-Invasion of Vietnam into the American homes« konterkariert wird, an *Holocaust* die Rückübersetzung des zu Großen, Monströsen in eine faßbare, erlebbare, fühlbare Form, zumal die Repersonalisierung der depersonalisierten, arbeitsteiligen Vernichtungsprozesse, der »Ziffern« in »Menschen«. Das sonst *zu* Kleine avanciert hier erstaunlicherweise gerade als solches zur überzeugenden Überwindung des Wahrnehmungsgefälles, ja, zum prinzipiellen Beleg für die Authentizität der moralisch-ästhetischen Phantasie: *»Nur durch fictio kann das factum, nur durch Einzelfälle das Unabzählbare deutlich und unvergeßbar gemacht werden.«*[42] Statt der »Übertreibungen in Richtung Wahrheit«, die das Hauptwerk vertritt, werden hier die »Untertreibungen in Richtung Wahrheit«, statt der

Vergrößerungs- die Verkleinerungsgläser empfohlen.[43] Aber die Proklamation solcher Rückgängigmachung der *»›Reduktion auf das Enorme‹«*[44] (das offenbar an sich keines mehr ist) weicht denn doch zu sehr von dem ab, was Anders sonst als die *Pro*duktion des zu Enormen analysiert, als daß man ihm hier folgen könnte.

Immerhin: Die genannten Beispiele wie die Theorie vom notwendigen und nötigen Scheitern der Kunst insgesamt bieten dieser auch nach Hiroshima wie nach Auschwitz noch genügend Spielraum. Demgemäß gilt auch für den Schriftsteller Anders, selbst wenn er *auf* Hiroshima, nicht bloß *nach* Hiroshima weiterschreibt, nicht das prinzipielle Verdikt, das das eingangs zitierte Interview im Anschluß an Adorno ausspricht. Seine eigene literarische Produktion konturiert vielmehr die von seiner (Anti-)Ästhetik des Monströsen offengehaltenen Möglichkeiten. Noch mehr allerdings akzentuiert sie die von ihr aufgeworfenen Probleme.

Die 1945 oder danach entstandenen Gedichte auf Auschwitz lasse ich hier beiseite.[45] Aufschlußreicher sind zwei Gedichte, die bereits 1944 unter dem Eindruck der nationalsozialistischen Massenmorde entstanden sind und gleichzeitig die Probleme einer Kunst nach Hiroshima betreffen. Das Dialog-Gedicht *Die Summe des Erlittenen*[46] legt den »Ermordeten« die klagende und anklagende Frage in den Mund: »Bleibt das Ganze stets das Stumme?/ Ist nur einzelnes die Welt?/ Gäb's nur Einen, der die Summe/ ganz in seinen Händen hält?« Doch das unterstellt noch in der Frage den »Einen«, dem »das Ganze« gegeben wäre. Die »Überlebenden« hingegen spitzen zu: »Nirgends steht am Schluß die Summe/ Ob sie gestern auch geschah./ Denn das Ganze ist das Stumme./ Und das Stumme ist nicht da.«

So haben in dem Gedicht *Die Meldung*[47] schon die Ermordeten die traurige Gewißheit: Drei Tode – »Vater, Mutter und das Kind« – kann man noch ermessen, erinnern, mitfühlen; doch drei Millionen – noch eine gnädige Untertreibung! – sind »viel zu Viele«: »Jawohl, zuviel. Zuviele bleiben stumm./ Und leiden nicht. Und können nicht verwesen./ Habt Ihr die Ziffer flüchtig angelesen,/ schlagt flüchtig Ihr zur nächsten Seite um.« Die prägnante negative Summe, daß die »Zuvielen«, »das Ganze« stumm bleiben, zu groß für jedes Fassungsvermögen sind, thematisiert überdeutlich schon die Kapazitätsfragen, die Anders dann in seinen Antiquiertheitsanalysen philosophisch aufwirft und die sich im Fall des Anti-Eichmanns Eatherly noch dringlicher als persönliche Leidenserfahrung stellen. Ja, die Zuspitzung des Problems liegt darin, daß gemäß den Einsichten eines unausgesprochenen Berkeleyschen Wahrnehmungsidealismus das Ganze nicht nur das Stumme, sondern als solches überhaupt nicht da ist: »esse = percipi«; non percipi = non esse; und die Leidenden leiden nicht einmal, wenn sie zu viele und zuviel Leidende sind. Die Frage ist eben deswegen freilich auch, wie sie und für wen sie dann noch sprechen können. In konventionellen Sprach- und Gestus- wie auch Reim- und Metaphernformen versuchen diese Gedichte paradoxerweise einen Grenzfall des »prometheischen Gefälles« zu vergegenwärtigen, der alle konventionellen Formen sprengt. Der Autor leiht seine Stimme Opfern, die keine Stimme mehr haben – und wird gerade so dem Ausmaß der Vernichtung und des Leidens nicht gerecht.

Ziffern, Tabellen, alle Mittel der Destruktionsstatistik, die im Widerspruch zur »Solennifizierung« der Poesie vernüchternd, verbiedernd wirken und vom Publikum – fatale Mimesis der Vernichtungsprozesse – cool wie von Fliegern »überflogen« werden[48], können das Kapazitätsgefälle zwischen Leichenher- und -vorstellung indessen noch viel weniger überwinden. So ist es nur verständlich, daß Anders gelegentlich wie bei dem vom Bikini-fall-out getöteten Fischer Aikichi Kuboyma, dem ersten Wasserstoffbomben-Opfer, auf den faßbaren Einzelfall zurückgreift.[49] Doch die bloße Beschreibung, die das Hiroshima-Tagebuch von dem titelgebenden »Mann auf der Brücke« gibt, dem das Gesicht und die Hände fehlen und der als Halbroboter mit seiner metallenen Ersatzhand ein Zupfinstrument spielt[50], ist weitaus eindringlicher als das lyrische Exempel. Das Problem des zu Großen löst die Repersonalisierung der Depersonalisierten ohnehin nicht.

Die Gedicht-*Tafel auf einem Schutthaufen* von 1945 hingegen, die Anders den ernüchternden Tabellen im Hiroshima-Tagebuch voranstellt[51], beläßt die Opfer in ihrer Anonymität: Die Zerstörung soll nicht zerstört werden. Insofern wird der gesichtslose »Schutthaufen« in der Tat dem Ausmaß der Vernichtung gerecht. Die Leerstelle der Namen auf der Tafel aber wird mit einem – kaum geglückten – gereimten »amen« symptomatisch gefüllt. Der obsolete Reimzwang und die – zumal bei dem Ketzer Anders – nicht überzeugende fromme Geste zeigen erneut, wie ein antiquiertes lyrisches Instrumentarium das schlechte und schlechthin Neue vergeblich zu bewältigen sucht.

Dank der bei der Leichenproduktion erworbenen Herstellungskapazitäten erscheinen auf der anderen Seite, der der Täter, die Probleme des zu Großen, der »Zuvielen«, nicht ganz so groß, die Möglichkeiten der Repersonalisierung größer. Doch hier sind auf Grund der Teloslosigkeit und Indirektheit des ›Handelns‹, der mit der Arbeitsteilung einhergehenden langen Wege, der Verdinglichung der technisierten Destruktionsprozesse die Probleme der Adäquation an das Monströse nur auf andere Weise gestellt. Das wird gerade dort deutlich, wo die um Einholung bemühte Phantasie auf konventionelle Modelle von Täterschaft regrediert. Es ist höchst bezeichnend, daß Anders' Briefwechsel mit Claude Eatherly – wie dann ein Großteil der Werke, die sich an den Fall Eatherly anlehnen, exemplarisch etwa Rolf Schneiders *Prozeß Richard Waverly* (Berlin 1962) – diesen noch als den »Hiroshima-Piloten« bezeichnet und eben damit die Pointe der technokratischen Prozesse verdeckt.

Diese Regression auf antiquierte, weil individualisierte Modelle von Täterschaft kann auch bei den ›Tätern‹ selber noch symptombildend wirken, wie es eine von Anders skizzierte zeitgenössische »Swiftiade« zeigt. Der historisch-philosophische McArthur-Roman, den er im ersten Band des Hauptwerkes andeutet[52], hat gewiß solch symptomatischen Zuschnitt. Denn daß ein General, der zugunsten einer Computer-Entscheidung entmächtigt wird, sich anschließend zu rächen sucht, indem er Präsident eines Computer-Konzerns wird – das kann die ohnmächtige narzißtische Entscheidungs- oder gar Verantwortungslust der antiquierten »Täter« – Gegenstück zu den Entlastungsbemühungen der Eichmänner – wohl illustrieren. Und zweifellos wäre es nicht minder symptomatisch, wenn man einer anderen Geschichte von Anders zufolge[53] diesen oder einen geistesverwandten Militär später, sagen wir: als Rüstungsverantwortlichen wiederfände, der auf der Couch der Psychoanalyse landet, weil er nicht damit zurechtkommt, daß er vermöge des objektiven »Endes

des Komparativs« zwar wohl noch seine Bombenmittel, nicht jedoch mehr deren Zerstörungskoeffizienten steigern kann. Nur wird dieser Technokratie-Neurotiker zuverlässig alsbald durch einen gesünderen Kollegen ersetzt sein, dem die Dialektik des Apparats weniger Seelenzerbrechen macht. Die »Philosophy Fiction« im Falle McArthurs wiederum, der als Präsident besagten Computer-Konzerns am allerwenigsten den »Tag der Rache« am Gerät erlebt haben wird, bietet, indem sie sich noch einmal auf das entmächtigte Subjekt, den Appendix des Apparats, konzentriert, allenfalls einen tragikkomischen Abgesang. Und welche Gesänge lassen sich auf die mega-maschinellen Parvenüs der Technokratie, auf den verdinglichten Gesamtapparat noch schreiben!

Historisch typischer als die Regression auf antiquierte Modelle von Einzeltäterschaft ist es freilich, daß sich die ›Täter‹ mit der Indirektheit ihrer ›Taten« und der Maschinisierung der Destruktion salvieren und nur die einholende literarische Phantasie sie verantwortlich zu machen versucht. Auf einem noch nicht ganz so hohen Destruktionsniveau wie bei Hiroshima gilt das schon für das 1941 entstandene Gedicht *Bomber zum Gewissen*[54]. Die Beschuldigung, fünfhundert Menschen auf dem Gewissen zu haben, wird von diesem »Bomber« – signifikant in Personalunion, richtiger: in Dingunion homonym mit dem Gerät – besten Gewissens damit zurückgewiesen, daß er nie einen Toten »von Angesicht zu Angesicht« gesehen habe. Die Bombardierung selber ist eine bloße Leerstelle zwischen zwei nächtlichen Traumphasen, deren zweite keinen schlechteren Schlaf als die erste kennt. Der bloßen großen Zahl korrespondiert auf der Grundlage der »Schizotopie« von Opfern und ›Tätern‹ und nach den Gesetzen der militärischen Arbeitsteilung ein Unschuldsbewußtsein, in dem das zu Große und zu Ferne keine Stelle mehr hat. Doch welcher Bomber, wenn er nicht Eatherly heißt, wird sich unter solchen Bombenbedingungen überhaupt noch mit moralischen Fragen auseinandersetzen – es sei denn, der Autor oder irgendeine andere Instanz redete für ihn mit seinem Gewissen? Kurz: Das Monströse hat, eben weil es das Monströse ist, keine Repräsentanz mehr. Und wenn der Autor sie gleichwohl noch einmal stellvertretend herstellt, dann tut er das um den Preis der Reduzierung des Problems.

Eine ähnliche Problemreduzierung wird man für die erste der beiden Truman-Dichtungen von Anders, die 1965 entstandene Fabel *Truman* aus dem *Blick vom Turm*[55], feststellen müssen. Am Jahrestag der Schleifung Karthagos im Interview nach etwaigen »unruhigen Nächten« gefragt, verweist Scipio auf seinen gänzlich ungestörten Schlaf. Guter Schlaf aber heißt für ihn gutes Gewissen; gutes Gewissen nach der Logik der Inversion, daß »das Ding« damals in Ordnung gewesen ist. Und der Kommentar des Blasianus sieht darin nicht etwa Zynismus, sondern einen viel schlimmeren »Defekt«: Phantasielosigkeit, Hartherzigkeit, Harthörigkeit, vor allem eine entsetzliche Biederkeit.

Die geschichtliche Verfremdung dieser Fabel könnte man für legitim halten. Indessen überspringt sie gerade jene Momente des technokratisch schlechthin Neuen, von denen Anders in seinen philosophischen Analysen die Antiquiertheit des Menschen und die Antiquiertheit der Kunst ableitet: Die historische Fabel, den historischen Roman des Atomzeitalters gibt es ebensowenig wie seine Dorfgeschichte. Und die Defekt-Diagnose wird nur einem Aspekt des »prometheischen Gefälles«: der Vorstellungsunfähigkeit des Subjektes, nicht aber der objektiven Monströsität technischer Destruktion gerecht.

Gewichtiger ist die große Allegorie, die im ›Tagebuch aus Hiroshima und Nagasaki‹ enthalten ist.[56] Die Seufzer, die Klagen und die Schreie, die sich nach dem »Feuerschein, der heller leuchtete als tausend Sonnen«, nach Washington aufmachen, um das Ohr des ›Täters‹ zu erreichen, und sich – wieder die Mimesis der Vernichtung – »im Steilfluge« in den Raum stürzen, in dem er schläft, stoßen auf taube Ohren. Wie »auf einem andern Planeten« scheint er, auch nach der ›Tat‹ von der »Schizotopie« geschützt, vor ihnen zu liegen. Obwohl durch sein pervertiertes Schöpfer-Wort das Licht der Zerstörung aufgeblitzt war, erinnert bei dem »Knaben mit lächelndem Milchgesicht« – dem »Milchgesicht der Niedertracht« – nichts an den zerstörungswütigen Feind, den die Opfer sich vorgestellt hatten. Die »Vernichtung« ist das Werk eines »Nichtigen«, der so wie seine ›Tat‹ gesichtslos, unphysiognomisch ist.

Auch der Schrei des Erblindeten erreicht ihn nicht: Er ist zu groß, um noch gehört werden zu können. Ebensowenig kann der Verstummte, der nur weiß, aber nicht realisiert hat, daß er sprachlos ist, den »Tauben« erreichen. »Unsäglichkeit« und »Unhörbarkeit« entsprechen einander. Und die Allegorie formuliert ihre negative Botschaft im Sperrdruck: Opfer, die *»nichts mehr erzählen können«*, *»zählen«* auch nicht mehr.

Mit dieser desillusionierten Perspektive mag sich der Autor allerdings nicht abfinden. So fügt er schließlich noch die Erzählung von einem schließlich gefundenen »Ausweg« an: Der hat sich gefunden, nachdem der große, zu große »Schrei von Hiroshima« sich in »Einzelschreie« aufgelöst hat, die einzelne Ohren zu finden suchen – mit welchem Erfolg, bleibt noch unbekannt.

Überdeutlich intendiert diese Allegorie eine Veranschaulichung des »prometheischen« Vorstellungsgefälles: wie in der »Summe des Erlittenen« bis hin zu der negativ-idealistischen Zuspitzung, daß das Nicht-Erzählte auch nicht zählt, das unerhörte Leidens-Ganze nicht *ist*. Ja, insofern die resonanzlosen Schreie, die buchstäblich unerhörte Sprache, die buchstäblich unsägliche Sache auf die zu großen Aufgaben der Kunst nach Hiroshima verweisen, ist dieser Text auch als Allegorie ihres notwendigen und nötigen Scheiterns zu lesen.

Der Regression auf antiquierte Einzeltäter-Modelle, so relativ berechtigt das bei dem *Präsidenten* Truman sein mag, entgeht indessen auch diese Allegorie nicht: Ebenso, wie ein Eichmann noch kein Auschwitz, noch keine banalböse Funktionalität ist, macht ein Truman noch kein Hiroshima. Und ob es ein plausibler, wirklich hoffnungsträchtiger Ausweg sein kann, den großen Schrei von Hiroshima in Einzelschreie aufzulösen, die dann ihr Einzelohr finden mögen (wie immer das geschehen soll) – das ließe man wohl selbst dann dahingestellt, wenn man nicht so nachtschwarz apokalyptisch gestimmt wäre, wie Anders es, nicht zuletzt auf der Basis seiner Antiquiertheitstheorie, sonst ist.

Analoge Vorbehalte treffen schließlich auch die literarischen Versuche, in denen Anders einerseits die Botschaft seiner negativen Muse prospektiv verallgemeinert und radikalisiert, andererseits aber noch bestimmte Zufluchtsmöglichkeiten von ihr auszunehmen versucht. Zugespitzt gesagt: Die Robinsonade des Atomzeitalters gibt es noch weniger als seinen historischen Roman oder seine Dorfgeschichte.

Das ist besonders an einem Dilemma abzulesen, dem auch Anders – wie ein großer Teil der gesamten Atomliteratur – mit seinen sporadischen literarischen Darstellungen der Apokalypse nicht ganz entgangen ist. Wohl gelten z. B. seine beiden Variationen des Noah-Stoffes[57] schlüssigerweise der »beweinten *Zukunft*« (Hervorhebung L. L.) so wie seine »Rede über *die* drei Weltkriege« gemäß der negativen Logik der Sache nur den künftigen Toten gelten kann: Die Antizipation ermöglicht, wo schon das bloße Faktum der Beschreibung Moderation wäre, noch das Sprechen, ohne den Ernst der apokalyptischen Drohung mit einer wundersam erhalten bleibenden poetischen Exklave zu dementieren, zu verbiedern. Das Arche-Motiv selber unterstellt aber doch wieder aus dem Fundus der antiquierten Tradition einen unzerstörten Rest.

Das gilt mutatis mutandis auch für andere literarische Endzeitphantasien, die Anders en passant gibt. Der Atombomberpilot, in den er sich über Alaska versetzt[58] – einen Herostraten aus Realisationszwang: »self-fulfilling efficiency« –, macht die Erde zwar zu einem »einzigen Hiroshima«. Die Perspektive des Fliegers jedoch, der »Blick nach oben«, unterstellt noch Katastrophenasyle, die der »menschenlose Planet« nicht mehr kennen wird.

Ebenso bietet noch das riesige Schiff, das Anders am Schluß des ersten Bandes des Hauptwerkes durch das Sternbild des Orion ziehen läßt und das »über kurz oder lang« nur »so dagewesen sein wird, als wäre es niemals dagewesen«[59], eine Kajütengeborgenheit, wo es keine Kajüte, keine Geborgenheit und vor allem keinen »Schiffbruch mit Zuschauer« mehr geben wird.

In solchen problematischen Aspekten von Anders' literarischer Praxis nach Hiroshima mag man die Symptome einer schriftstellerischen Potenz sehen, die – keinesfalls generell, wie noch zu zeigen sein wird, aber doch bei diesem Sujet, das kein »Sujet« mehr ist – deutlich hinter der singulären Bedeutung seiner Antiquiertheits*analysen* zurückbleibt. Zu erkennen wäre insofern nicht sowohl auf das Scheitern *der* Kunst als der Andersschen Kunst. Ihre Mängel offenbart sie freilich am schärfsten gerade im Licht seiner eigenen (anti-)ästhetischen Theorie des Monströsen. Und zu verkennen ist auch nicht, daß sie, am deutlichsten in der Truman-Allegorie, das notwendige und nötige Scheitern der Kunst ihrerseits in künstlerischen Formen zu vergegenwärtigen versucht: selber ein notwendiges und nötiges Beispiel. Verzichten könnte man darauf nur, wenn man auf »produktives Scheitern« verzichten könnte. Doch nach Hiroshima ist nach wie vor hinreichend für das Gegenteil gesorgt.

IV. Der Kontingenzschock

KETZERISCHE IRRITATIONEN. Der Mut, keine *Frage* auf dem Herzen zu behalten, ist es, der nach Schopenhauer den Philosophen macht[1]; nach Anders wäre hinzuzufügen: auch keine *Antwort*! Daß es sich bei ihm wirklich um philosophischen Mut handelt, wird deutlich, wenn man den »Ketzer« Anders in vollem Umfang zur Kenntis nimmt. Der nämlich räumt nicht nur in rücksichtsloser Gottlosigkeit mit den Leichenteilen des längst toten, des verwesenden Gottes auf – so rabiat, daß er nicht einmal mehr ans Glauben zu glauben vermag –; er erschüttert auch den anthropozentrischen Größenwahn und die ontozentrische Seinsgewißheit. Und auf daß uns nichts geschenkt werde, verkündet er zu allem Überfluß den Kollaps jedes »letztbegründeten« Sollens und jedes letztbegründenden Sinnes.

Diese unfrohe Botschaft steht terminologisch im Zeichen eines vordergründig harmlosen Begriffs aus der metaphysischen Tradition: der »Kontingenz«. Das philosophische Psychodrama, das mit diesem Begriff verbunden ist, trägt freilich seit den frühen philosophischen Aufsätzen von Anders den Namen eines »Schocks«. Und den verdient es. Denn Kontingenz und Nihilismus, ein nicht, wie sonst zumeist, »überwundener« oder »zu überwindender«, sondern vollendeter Nihilismus, stehen bei Anders in einer prekären Konstellation.[2] Sie ist um so prekärer, als der »Kontingenzschock« von Anders nicht nur diagnostiziert und erlitten, sondern auch bewußt forciert wird: In der überraschenden Angleichung an jenen »moralisch ebenso dürftigen wie spekulativ großartigen Philosophen«,[3] den er sonst gerne attackiert – Heidegger –, scheint Anders selber die Konsequenz des Denkens auf Kosten der Moral zu nähren. Gibt er aber so nicht seine sicher geglaubte Identität preis? Verspielt er nicht jeden Kredit? Und eine Untersuchung, die sich bis hierher so spürbar mit seinem Engagement identifiziert hat, tut sie das nicht mit ihm? Ja, finden am Ende nicht antitechnokratischer Maschinensturm und philosophischer Bildersturm, nur auf den ersten Blick einander widersprechend, ihr tertium comparationis in jener Gewalt, der Anders nach Tschernobyl auch real das Wort geredet hat: das angebliche »Gewissen des Atomzeitalters« in Wahrheit ein metaphysischer und gegebenenfalls eben auch ein physischer »Terrorist«?

Tatsächlich zögert Anders nicht, den Widerspruch zwischen antiatomarem Engagement und »zersetzender« philosophischer Erkenntnis in aller Radikalität aufzureißen. Er mutet seinen Lesern dabei just die Erfahrung zu, die er artikuliert: Alles an diesem Denker mutet plötzlich hoffnungslos kontingent an. Das ist, so irritierend es sein mag, unverkürzt ernst zu nehmen – auch gegen die wiedertäuferischen Versuchungen, denen die philosophische Hermeneutik so gerne erliegt. Die Unverblümtheit und Insistenz, mit der Anders hier nicht anders als sonst spricht, läßt keine bekömmlichere Deutung zu – auch die nicht, daß ein alt und unweise gewordener Denker in bekannter Greisenmanier noch einmal kurz vor Tod und Verklärung der Renitenz gefrönt und die alten Götter verbrannt habe. Anders selber hat zwar das »hohe Alter« mit seiner Offenheit für Sein und Nichtsein als »Kairos« fundamentalontologischer Einsichten gerühmt[4]: die natürliche biographische Entsprechung zu einer weniger natürlichen kollektiven Endzeit, die auf ihre Weise ebenfalls den schon von Heideggers »ontologischer Differenz« wahrgenommenen »Kairos der Ontologie« gewährt.[5] Die in bezug auf den »Kontingenzschock« provozierendsten Texte: die *Ketzereien*, sind denn auch ein Alterswerk. Nahezu alle wesentlichen Passagen darin gehen aber auf frühere Texte zurück. Wenn Anders einmal als »Renegat der Ontologie«[6] in die antifaschistische und antiatomare Praxis »desertiert« ist – »desertiert« von seinen philosophischen Anfängen aus gesehen[7] –, so sind seine späten *Ketzereien* eine Zurückdesertion in die Theorie; und hier eben ganz unironisch mit dem Verdacht auf moralische Fahnenflucht, auf humanen Landesverrat.

Auch in philosophiehistorischer, systematischer und begrifflicher Hinsicht gibt diese Zurückdesertion einige Probleme auf. Anders hat trotz seiner philosophischen Lehre in der denkstrengen Schule Husserls, deren Resultate die Dissertation über *Die Rolle der Situationskatego-*

rie bei den ›Logischen Sätzen‹ und die erste Buchpublikation *Über das Haben. Sieben Kapitel zur Ontologie der Erkenntnis* deutlich erkennen lassen, seine Abneigung gegen die akademische Philosophie stetig intensiviert. Die universitätsphilosophische Nemesis droht ihn dafür zu treffen, wenn man ihre Maßstäbe an seine ontologischen *Ketzereien* anlegt: Sind sie nicht inhaltlich und auch terminologisch inkonsistent, in systematischer Hinsicht inkohärent; und werden sie nicht unerachtet der obsessiven Auseinandersetzung mit Heidegger, der gelegentlichen mit Scheler, bestenfalls episodisch im Zusammenhang mit konkurrierenden oder kontroversen Theorien der philosophischen Vorgänger und Zeitgenossen entwickelt?

Dem ist so; die fachgerechte Beckmesserei kann hier auf ihre Kosten kommen. Anders selber, nach seinem freimütigen, keineswegs bloß koketten Bekenntnis ein »philosophiegeschichtlicher Ignorant«[8], hat seinem Interpreten dieses Zugeständnis leicht gemacht. Trotzdem kommt in seinem Denken neben dem Mut auch das Denken nicht zu kurz – wie es ebenfalls bei zwei Größeren der deutschen Philosophie, Schopenhauer und Nietzsche, der Fall ist, die öfters ähnlich fachgerechten Einwänden verfallen. Ja, wenn alle kohärent und konsistent entwickelten Theorien nur auch von Interesse wären...

Die Einsichten, zu denen Anders gelangt, lassen jedenfalls die meisten historischen Etüden, auf die die Universitätsphilosophie gerne von Berufs wegen schrumpft, verblassen. In der von Anders bewußt kultivierten »Gelegenheitsphilosophie« gehen Substanz und Form seines Denkens eine schlüssige Verbindung ein. Und der »Kontingenzschock«, den er thematisiert und seinen Lesern zumutet, erhöht am Ende jene Widerstandsenergie, aus der sein antiatomares Engagement lebt: Maschinensturm und rücksichtsloser philosophischer Bildersturm sind produktiv miteinander verbunden. Der doppelte Ikonoklasmus ist die aktualisierte Form des jüdischen Bilder- und Vergötzungsverbots.

Wo Anders' Denken aber notgedrungen im Fragmentarischen endet; wo die Brüche bleiben und – frei nach Wittgenstein – die Antwort, daß es auf Sinnfragen keine Antworten gibt, das Maximum der philosophischen Auskunft ist, da ist nach dem »Kairos der Ontologie« auch der Kairos der Poesie gekommen. Es ist kein Zufall, sondern vielleicht das einzige, was hier nicht kontingent ist, daß Anders an zentralen Punkten seines Werkes nicht nur große Literatur gedeutet, sondern in poetischer »Kontingenzbewältigungspraxis«, wie das heutige unpoetische Unwort wohl lauten müßte, große Literatur geschaffen hat. Bleibt seine eigene Dichtung, wie gezeigt, bei dem Versuch der Einholung des »prometheischen Gefälles« im ganzen antiquiert, so ist ihm hier, in seinen vom »morbus metaphysicus« inspirierten Texten: der *Kosmologischen Humoreske*, mehr noch in dem philosophischen Versmärchen *Mariechen*, Singuläres gelungen.

PHILOSOPHIEREN »SUB SPECIE CONTINGENTIAE«. »Kontingenz« und »Kontigenzschock« sind seit Anders' frühen Aufsätzen ›Une Interprétation de l' Aposteriori‹ und dem ›Essay sur la non-identification: Pathologie de la Liberté‹, die beide auf einen 1929 vor den Kant-Gesellschaften in Frankfurt und Hamburg gehaltenen Vortrag über ›Die Weltfremdheit des Menschen‹ zurückgehen, so sehr das Thema seines Denkens, daß sich Philosophie, die diesen Namen verdient, für ihn geradezu »sub specie contingentiae«[9] vollzieht. Der Originalitätsanspruch, den er dabei trotz seiner gelegentlichen Bezugnahme auf Kantische, Hegelsche, Nietzschesche, Heideggersche Kontingenzaussagen erhebt, daß nämlich »*der Gedanke der Kontingenz des menschlichen Daseins* wirklich *kaum je von einem Philosophen expressis verbis beklagt* oder zugegeben oder mit Aplomb vertreten« worden sei[10], muß zwar vor allem im Blick auf Max Scheler relativiert werden; aber Anders ist darin zuzustimmen, daß kein anderer Philosoph diesen Gedanken so zugespitzt hat wie er. Doch was heißt »Kontingenz«, was »Kontingenzschock«? Was heißt es, daß in Anders' Formel das Philosophieren »sub specie contingentiae« dasjenige »sub specie aeternitatis« ersetzt? Und welcher Typus von Philosophie ist »sub specie contingentiae« intendiert?

GELEGENHEITSPHILOSOPHIE. Mitunter ist Anders bei seinen Versuchen, das Eigentümliche seines Denkens zu charakterisieren, bei dem Bekenntnis angekommen, daß er überhaupt kein Philosoph mehr sei.[11] Aber das darf man als Kampfansage an das traditionelle Selbstverständnis der Schulphilosophie verstehen. An prominenten Stellen seines

Werkes hat er hinreichend deutlich gemacht, daß es für ihn um einen spezifischen, in der »philosophia perennis« unter-, wenn überhaupt repräsentierten Typus von Philosophie geht: um »Gelegenheitsphilosophie«.[12]

Der Terminus lebt von zwei Anleihen bei der Literatur- und der Philosophiegeschichte. Mit Goethes Begriff der »Gelegenheitsdichtung«, der im Geist des »Sturm und Drang« gegen die subalterne Vorgegebenheit höfischer Anlässe und für die Artikulation autonomer Subjektivität steht, meint er das *aus*, nicht *zu* einer Gelegenheit Entsprungene, das nichts weniger als geringzuschätzen ist.[13] Der philosophische »Okkasionalismus« freilich, mit dem das Denken des 17. Jahrhunderts die »res extensa« und die »res cogitans« zu harmonisieren versucht hatte, lebt demgegenüber nur noch als Stichwortgeber fort[14]: Anders' »Okkasionalismus« interessiert sich nur wenig für so drängende Dinge wie die philosophische Entsorgung des Leib-Seele-Problems. Und mit Harmonisierungen hat er schon gar nichts im Sinn.

»Gelegenheitsphilosophie« heißt zunächst für ihn: Das »Ganze«, das »Allgemeine«, das »Wahre«, der »Grund«, das »System«, die »ewigen«, »apriorischen Vernunftwahrheiten«, aus deren Perspektive das »Okkasionelle«, das »Singulare«, das Fragmentarische«, das »Nur-Ontische«, das »Empirisch-Tatsächliche« minderen Ranges scheint, werden als primäre oder gar alleinige Maßstäbe der Philosophie verneint.[15] Sie entspringen antiquierten »ontologischen Vorurteilen«. Auch gelegenheitsphilosophisches Denken kann sich aus aktuellsten Anlässen »gewissermaßen im Senkrechtstart in den Himmel«[16] (oder, so wäre zu ergänzen, in die Hölle) bewegen und so den Journalismus mit der Metaphysik kreuzen.

Näher besehen, offensiver ausgedrückt, gibt es indessen überhaupt nichts anderes als Okkasionelles. Und damit ist auch die traditionelle Grenzziehung zwischen dem »philosophisch Salonfähigen«, richtiger, dem akademisch Hörsaalfähigen, und dem Philosophie-Unwürdigen hinfällig.[17] Der Narzißmus der Metaphysiker, die es nur selten unter dem ganzen Wahren tun, hat bei Anders also etwas zu leiden – zumal, wenn man sich noch seine Diagnose zu eigen macht, daß bei ihnen statt des geforderten »Mutes zum ›Entwesen‹«[18] die wesensfreudige Feigheit regiert. Neben dem revolutionären Okkasionalisten van Gogh, der ein Paar ausgelatschter Stiefel als Sujet nobilitiert, ist es bezeichnenderweise der von der reichsdeutschen Philosophie geschnittene Georg Simmel, der als einer der raren Vorgänger in Sachen »Gelegenheitsphilosophie« bei Anders zu Ehren kommt, und zwar mit seiner Ruinenphilosophie.[19]

ENTHAUPTETE ONTOLOGIE. Der zentrale Begriff, in dessen Zeichen die Grenzen des Metaphysikwürdigen durchlässig werden, ist die »Kontingenz«. Gelegenheitsphilosophie ist Kontingenzphilosophie, und zwar mit der Zuspitzung eines kontingenzphilosophischen Monismus (der freilich den aufs Ganze gehenden Narzißmus der Metaphysiker ex negativo dann doch wieder bekräftigt). Es kann gar nichts anderes als Gelegenheitsphilosophie geben, weil es nur Kontingentes gibt; sie wird mit der Ontologie deckungsgleich.[20] Was also bloß ephemer und episodisch, eben okkasionell, zu beginnen schien, entpuppt sich »sub specie contingentiae« als neue »prima philosophia«. Natürlich bedenkt diese auch bei Anders die ersten wie die letzten Dinge gleichermaßen.

Um so dringlicher die Frage, was denn »Kontingenz« näherhin bei Anders meint. Der vorab durch die scholastische Tradition geprägte Terminus, dem sich Anders' lateinische Formel anschließt, ist zwischen dem »Notwendigen« und dem »Unmöglichen« angesiedelt. Kontingent ist das zufällige Tatsächliche, das als solches auch die Möglichkeit des Anders-Seins und des Nicht-Seins impliziert: »contingens est, quod potest esse et non esse«; »kontingent ist, was sein und auch nicht sein kann«, nach der Formel des Thomas von Aquin.[21] Indessen ist dieser mindere Seinsgrad innerhalb der theologisch-philosophischen, kurz: theolosophischen Tradition durch das notwendig und aus sich Seiende, den Gott, den nichtkontingenten creator balanciert, dessen freier schöpferischer Wille das kontingente creatum sein läßt und im Sein erhält. Das heißt zwar einerseits mit der dieser Tradition eigenen Ambivalenz, daß nach der prägnanten Erläuterung Hans Blumenbergs Kontingenz »die ontische Verfassung einer aus dem Nichts geschaffenen und zum Vergehen bestimmten, *nur* durch den göttlichen Willen im Sein gehaltenen Welt zum Ausdruck« bringt, die »an der Idee des unbedingten und notwendigen Seienden gemessen wird (...) Die Welt ist kontingent als eine Wirklichkeit, die (...) Grund und Recht zu ihrem Sein nicht in sich selbst trägt. Das Sein der Welt nimmt Gnadencharakter an.«[22] Andererseits läuft das Kontingente im Rahmen der – von Anders freilich ironisch glossierten[23] – Gottesbeweise, die dem Zufälligen die Ableitung aus dem Notwendigen verschreiben, doch gleichsam aus dem Meer der Bedingtheit in den Hafen des Unbedingten ein: Es ist nur, aber eben auch göttliches Willensobjekt.

Anders nun schließt zunächst durchaus an etliche Momente dieser Kontingenzlehre an. Die Thomasische Formel, so wie sie dem Wortlaut nach dasteht, könnte er ohne Einschränkung unterschreiben. Ernst Troeltschs Enzyklopädie-Artikel über ›Die Bedeutung des Begriffs der Kontingenz‹[24], der den »setzenden Willen« des Schöpfergottes betont hatte, wird in der ›Pathologie de la Liberté‹ ausdrücklich zitiert.[25] Wenn Anders dort als »kontingent« unter anderem die Nichtkonstitution des Selbst durch sich selbst bestimmt, so klingt jedenfalls ex negativo der theologische Sinn noch an. Ja, auch der »Ketzer« Anders läßt es sich nicht nehmen, in einer süffisanten Wendung ausgerechnet den vorkritischen Kant zu zitieren[26], der in seinem »Einzig möglichen Beweisgrund zu einer Demonstration des Daseins Gottes« die Kontingenz aller Dinge der Natur von der »Willkür des obersten Urhebers« abgeleitet hatte.

Für das unwiderruflich säkularisierte Ketzerbewußtsein aber ist klar, daß kontingent in höchstem Maße das keinem Gott zuzuschreibende, von keinem göttlichen Willen gewollte und in keinen göttlichen Hafen einlaufende Seiende, das ortlos, ziellos, grundlos im Ozean des Seins Treibende[27] ist. Und das heißt: Wie Anders die jüdisch-christliche Apokalyptik zuspitzt zu einer »Apokalypse ohne Reich«, so radikalisiert er hier die Tradition zu einer Kontingenz ohne Gott: enthauptete Ontologie. Damit aber bricht die der theologischen Tradition immer schon inhärente Fragilität des Kontingenten, die nur durch die schöpferischen Willens- und Gnadenakte balanciert war, vollends auf: Der göttliche Garantie-Schein entfällt. »Sub specie contingentiae« ist jetzt das Gegenteil von »sub specie aeternitatis«.

Im Rahmen der solcherart guillotinierten Ontologie nimmt »Kontingenz« im Anschluß an den Begriffsgebrauch der leibnizschen und kantischen Tradition zwar zunächst wieder ein eher harmloses Gesicht an: Kontingent ist das Empirische, a posteriori Gegebene, das nur Tatsachenerkenntnis, nicht so etwas Schönes wie Wesenserkenntnis gestattet und keinesfalls »apriorisiert« werden darf.[28] A priori im kantischen Sinn des Allgemeingültigen und Notwendigen sind Gesetze innerhalb und unter Voraussetzung des Kontingenten und Aposteriorischen.[29] Wer sollte davon schockiert sein, zumal wenn die kompakte Terminologie der Tradition noch die Gnade der Immunisierung gewährt? Die Pointe dabei ist freilich, daß das Reich des bloß Empirischen von Anders insgesamt »kontingentiert« wird: Prinzipiell könnte alles ganz anders oder auch nicht sein: Hier erhält die Thomasische Formel ihren wahrhaft hintergründigen Sinn. Nicht nur ist das bloß Empirische als Veränderliches und Vergängliches substanzlos und nichtig; sondern in seiner zufälligen Faktizität ist das Seiende selbst als Seiendes so, daß es hinweggedacht werden kann; daß nach der Kontingenz-Formel von Leibniz sein Gegenteil, d. h. das Nichtsein des Seienden, »keinen Widerspruch einschließt«. Heideggers »ontologische Differenz« und seine existenziale Analytik der »*Geworfenheit* des Seienden in sein Da« eignet sich Anders unerachtet aller sonstigen Kritik dementsprechend so an[30]: Das Seiende *ist* zwar und das Dasein *da*; aber es ist auch »nichts als ›da‹«, vielmehr in einem buchstäblich »fundamentalontologischen« Sinn dem Nichtsein ausgesetzt.

Die »Kontingenz« wird so zum Problematisierungsbegriff, der das scheinbar Selbstgewisse und Selbstverständliche in die Offenheit des Fragwürdigen stößt. »Sub specie contingentiae« philosophieren heißt, in entschiedener »Nicht-Identifizierung«[31] aus dem naiven lebensweltlichen oder dogmatischen Schlummer zu erwachen, in dem die »habitués des Seins«, diese Bourgeois der Metaphysik, mit ihren satten ontologischen Vorurteilen leben.[32] Das philosophische Staunen, das seit der griechischen Antike als Anfang des Philosophierens gilt, wird für Anders zum *»Nicht-nichtstaunen-können«*, zum *»stupor ininterruptus«*.[33]

Wo das Seiende aber so erstaunlich wird, daß sein Nichtsein plausibler wird als sein »Doch-sein«[34]; wo kein Grund und kein Sinn ersichtlich ist, daß es *ist* und daß gerade *es* ist und daß es gerade *so* ist, da eskaliert das Staunen bei den *»ontologisch Verrückten«*[35], die wir normalhin die »Philosophen« nennen, zum Kontingenz-Anfall, zur Kontingenz-Angst, zum Kontingenz-Schrecken, kurz: zum Kontingenz-Schock, der die Krisis des »morbus metaphysicus« ist.[36] Und, wie es einem rechtschaffenen Schock zukommt, beschränkt er sich nicht auf Metaphysik und Ontologie, sondern erschüttert zugleich die Moral und das Lebensgefühl.

DIE WELTFREMDHEIT DES MENSCHEN. Der »Kontingenzschock« bezieht sich beim frühen Anders zunächst auf den Schrecken darüber, gerade hier und gerade jetzt gerade dieses kontingente Ich in gerade dieser Welt zu sein.[37] Der Begriff markiert also ein Distanzverhältnis, eben eine »Nicht-Identifikation«. Positiv formuliert, läßt sich dieses Distanzverhältnis im Geist der autonomen Moderne mit Freiheit zusammendenken – im Gegensatz zur scholastischen Tradition, für die Kontingenz zwar die Willens- und Entscheidungsfreiheit nicht aufgehoben hatte, aber primär auf Bedingungsverhältnisse verwies. Schon der von Anders zitierte Aufsatz von Ernst Troeltsch hatte »Kontingenz« auch positiv verstanden und neben der Individualität und dem Neuen vor allem in Zusammenhang mit der Freiheit gebracht.[38] Aber die Selbstbestimmung der Freiheit bringt es wiederum nur zu kontingenten und demgemäß distanzierten Akten der Konstitution.[39] Adäquater ist es also, mit dem Titel des Vortrags von 1929 von der ›Weltfremdheit des Menschen‹ in einem umfassenden Sinn zu sprechen.[40] Der den »Kontingenzschock« erfahrende Mensch steckt gleichsam nur vorbehaltlich in seiner Haut; er ist, mit einer auf die Füße der Immanenz gestellten Formulierung, »nicht von dieser« und nicht von »seiner« Welt.[41] Ebensowenig gehört ihm eine bestimmte Welt zu, wie er einer bestimmten Welt (oder am Ende *der* Welt) angehört. Diese zweifache Dissoziation wird später von Anders in der Doppelformel »Mensch ohne Welt« und »Welt ohne Mensch« auseinandergelegt.

Fundiert wird diese »Weltfremdheit«, wie in der ersten Studie schon skizziert, in einer dezidiert *»negativen Anthropologie«*[42] des Menschen als eines »unfestgelegten«, nicht definierten »Wesens«. Dieses braucht zwar von Natur aus Kultur; seine Mitgift ist bloß *»Gesellschaftlichkeit* *überhaupt«*. Die Gesellschaften und Kulturen, die Stile und Moralen, die es produziert, reagieren darauf.[43] Und die Technik ist der folgenreichste und umfassendste Versuch des Menschen, seine Welt zu schaffen. Eben hier aber bricht die »Weltfremdheit« am entschiedensten wieder auf.[44] Technik, deren innovatives Potential statt des Menschen zum Exponenten der Unfestgelegtheit wird, impliziert »Weltfremdheit« par excellence.

Analoges zeigt sich in Anders' Theorie der Scham. Wenn die Scham seit den frühen philosophischen Aufsätzen als »Wirklichkeit des Kontingenzbewußtseins«, als Ausdruck einer umfassenden Identitätsstörung verstanden wird[44a], dann ist Technik der umfassendste Versuch der Identitätsstiftung. Doch just ihr gegenüber macht sich die Identitätsstörung im »prometheischen Gefälle« am stärksten spürbar.

Im übrigen bleibt jede kulturelle, soziale, moralische Festlegung so kontingent, daß sie nur mit Hilfe von Sanktionierungspraktiken – den dem Jargon der »Jetztzeit« nachzubildenden »Kontingenzbewältigungspraktiken« – haltbar gemacht und der Plural möglicher anderer Welten auf einen wenigstens temporär verbindlichen Singular reduziert werden kann.[45]

Wie sehr der Mensch aber auch einmal in »seiner« Welt gewesen sein mag – mit dem »Kontingenzschock« fällt er wieder aus dieser Welt und seiner Identität mit ihr heraus. Welche Welt soll er also suchen, wenn dieses Schicksal jede bestimmte Welt trifft? Muß er konsequenterweise nicht jede als kontingente negieren?

DIE KONTINGENZ DES INDIVIDUELLEN. »Weltfremdheit« und Ichfremdheit gehören indessen untrennbar zusammen. Und die letztere ist nicht weniger groß.

Der Schrecken darüber, gerade dieses kontingente Ich in kontingenten Rollenzusammenhängen zu sein, mag sich zunächst humoristisch äußern wie in einem unschlagbaren Satz von Grabbe, den Anders zitiert: »einmal auf der Welt, und dann ausgerechnet als Klempner in Detmold!«[46] Die Selbstverständlichkeitsillusion des Individuums, das sich nichts anderes vorstellen kann, als immer schon dieses Individuum in dieser Identität gewesen zu sein und nichts anderes sein zu können, geht zuverlässig im Gelächter über den Grabbeschen Satz unter. Dahinter steht jedoch ein tieferes Trauma: das der Individuation an sich. Dieses Trauma erschüttert die Selbstapriorisierung, von der Hölderlins später Entwurf zur »Apriorität des Individuellen über das Ganze« (im Gegensatz freilich zu seiner *Empedokles*-Konzeption) noch gesprochen hatte.[47] Jedes Wesen, formuliert der frühe Anders, »ist gerade es selbst und nichts anderes«.[48] *»Versäumnispanik«*[49] ist der Name der Ichfremdheit, die aus dem Bewußtsein kontingenter Individuation resultiert.

Die metaphysischen Konturen der Individuation umreißt Anders, hier wieder im Anschluß an die Tradition, mit Spinozas Gleichsetzung von »determinatio« bzw. »individuatio sive negatio«, Bestimmtheit und Ausschluß[50]: Indem ich zufällig dieser bin, bin ich alles andere nicht; kontingente Individuation läuft auf ein Versäumnis aller anderen möglichen Verkörperungen hinaus.[51] In seiner überaus konzentrierten Auslegung von Döblin und Broch oder auch in den Walfischmeditationen des Versmärchens *Mariechen* (dazu später) hat Anders die Versäumnis*panik* – mehr als ein Schrecken, als eine Angst! – thematisiert. Die Heideggersche Seinsfrage (auch dazu noch einmal später) wäre demgemäß mit Anders vorerst so umzuformulieren: »Warum ist etwas überhaupt etwas und alles andere nicht?«

Positiv gewendet, spricht aus dieser »Versäumnispanik« eine – schon von Anders' kontingenzphilosophischem Monismus belegte – Leidenschaft für das Ganze, die er auf den Namen »Pantomanie«[52] tauft. Mit ihr ergibt sich freilich eine widersprüchliche Konstellation: Negiert die »Gelegenheitsphilosophie« das »Ganze« als Maßstab des singulären Kontingenten, so erscheint dieses doch erst aus der Perspektive des »Ganzen« als solches. Anders' früh ausgeprägte spinozistisch-hegelianische Obsessionen stehen quer zu seiner Absage an »Totalität« und »System«. Hier zeigen sich Motivüberlagerungen und Ambivalenzen, die immer wieder aufbrechen, in seiner Bombenphilosophie in geradezu abgründiger Form. Erst in dem abschließend zu beschreibenden »Lob der Kontingenz« werden sie zugunsten deutlicherer Präferenzen geklärt.

Für Anders' »Pantomanie« ist jedenfalls das kontingente Individuelle nicht das Wahre; ebensowenig sind es die Formen, in denen das Individuelle auf individuelle Weise die Surrogate des Ganzen sucht: nicht die Unsterblichkeit, die nur die prospektive Selbstverständlichkeitsillusion des Individuums ist, »versteinerte Kontingenz«[53], Verewigung aller Versäumnisse; und auch nicht die Liebe, die keineswegs das Ganze schafft, sondern durch Verkettung zweier Kontingenzen erst recht den »Mord am ›Allgemeinen‹« begeht, bis das Kind schließlich, das allen »Kontingenz-Ängsten ins Gesicht lacht«, »die endgültige Niederlage des Grundsätzlichen in die Welt hinausplärrt«. Die Ehe ist der *»widerphilosophische Stand schlechthin«*.[54]

Wenn das Ganze aber nicht positiv zu haben ist, woher soll man es dann nehmen? Ist die Nicht-Identifikation mit dem kontingenten Individuellen, wie sie Anders' »Tableau des Nihilisten«[55] und seine Lesart des Existenzialisten[56] beschreibt, nicht auch hier die schlüssige Konsequenz, die Proklamation des leeren Selbst, für die noch ein »Mann ohne Eigenschaften« zuviel an kontingenter Determination wäre? Oder, noch besser, gar nicht erst in die Kontingenz geworfen werden? *»Lieber nie als kontingent«*, lautet jedenfalls die Schlußfolgerung, mit der sich in Anders' *Blick vom Turm* die fabulierte Wahlfreiheit eines kontingenzscheuen Ichs gegen seine Inkorporation verwahrt.[57] Das muß selbst der molussische Schöpfergott Bamba respektieren...

DIE STELLUNG DES PFERDES IM KOSMOS. Was ist aber mit dieser Maxime, wenn der Kontingenzschock nicht auf das Individuelle beschränkt bleibt, sondern auch die Gattung erreicht? In der Tat weitet Anders seine *»negative Anthropologie«* in diesem Sinn aus. Ohne sie, wie es in den misanthropischen Manifesten der Gegenwart der Fall ist, zum antihumanen Endspiel zuzuspitzen, denkt er soweit durchaus »anthropofugal«. Geradezu obsessiv verhöhnt er den anthropozentrischen Größenwahn und die philosophische Anthropologie, die er als Nachfolgedisziplin der Theologie enttarnt[58]: Hinter dem pompösen Gattungsnarzißmus steht der »metaphysische Provinzialismus«.[59] Der menschlichen Gattung eine besondere Bestimmung, eine »Mission«, ein metaphysisches »Wesen« zuzuschreiben – das kann man nur, wenn ein Gott seinem Adam seine Spezialaufträge gibt. Re vera ist die Gattung ebenso kontingent, wie es Pferde, Afghanen (wohlgemerkt die Hunderasse!),

Sperlinge, Spinatpflanzen, Brennesseln, Flundern, Mücken, Walfische oder sonstige Varietäten der Flora und Fauna sind[60], ohne daß man diese deswegen abwerten müßte.[61] Wie Pferde, Afghanen... könnten sie sein oder auch nicht, da niemand, wie Anders mit anthropofugalen Überlegungen von Nietzsche und erstaunlicherweise auch von Hegel belegt[62], »die Notwendigkeit, daß es gerade Menschen gibt, aufrechterhalten wird«. Die Pointe der Fabel vom ›Bittsteller‹ aus dem *Blick vom Turm*[63] – dem Gattungsbegriff des Menschen, der ein Bestimmter mit einem eigenen Namen, ein Dieser und so wirklich ein Wirklicher zu sein wünscht – ist die, daß er als »Mensch« längst eben dieser ist. Man muß in den Menschen nur gleichsam »Afghanen« sehen.[64]

Eine philosophische »Afghanologie« oder »Hippologie« wäre unter diesen Umständen nicht weniger legitim als die antiquierte philosophische Anthropologie. Wir sind kein *»auserwähltes Volk«*[65], wie Anders in der Auseinandersetzung mit der noch mit ihm verheirateten Hannah Arendt erklärt – so sehr er weiß, daß die Privileglosigkeit schwer auszuhalten ist. Schelers *Stellung des Menschen im Kosmos* wird gar mit der »Stellung des Pferdes im Kosmos« parodiert: *»Wer bist du, Pferd?«*[66] Der sich aufplusternde Mittelpunktwahn der menschlichen »Häufung von Kontingenz«[67] ist nur komisch. Und auch Heidegger wird attestiert, daß er mit seinen existenzialanalytischen Komplimenten an den Menschen hinter die Offenheit seiner weitaus radikaleren Seinsfrage zurückfällt.[68] Gegen Heideggers Formel ist das Dasein nicht »in der Welt«, sondern selber Welt.[69] Seine Auszeichnung ist nur die Fortführung der Anthropozentrik mit anderen Mitteln.

So gibt es keinen Grund, warum wir, ausgerechnet wir, sein sollten. Wie unsere Handlungen sind wir – mit einer Formulierung, die neben der Polemik gegen die philosophische Anthropologie doch auch die Trauer nicht verdrängt – *»metaphysische Schnittblumen«*[70], metaphysische Bagatellen.

Der *Blick vom Mond* bestätigt dieses Bagatell-Dasein sinnfällig.[71] Die Menschen sind nur ein Stück Natur unter Milliarden anderen Stücken Natur; ein Stück All, das auf einem Stück All durch das All fliegt, exzentrisch, ephemer, episodisch, kosmisch provinziell, mitsamt dem »Haus ihres Seins«. Die »negative Anthropologie« wird zur »negativen

Geologie«[72] zugespitzt. Die Erde, die vereinsamt im Raume schwebt, ist ein »nichts als existierender Ball«[73] – so Anders' neue Version jener Sicht, die schon Schopenhauer am eindrucksvollen Beginn des zweiten Bandes der *Welt als Wille und Vorstellung* gegeben hatte.

Was sich aber so kontingent im Kosmos verliert, kann man es nicht auch ohne größeren Verlust verlieren? Mit dem *Blick vom Mond* wird jedenfalls gegen die heilige Dreifalt der christlichen Tradition von Theo-, Geo- und Anthropozentrik die von Kopernikus initiierte, von Freud auf den Begriff gebrachte »kosmologische Kränkung« »sub specie contingentiae« definitiv gemacht.[74] Der beleidigte Human-Narzißmus, sofern er an seinen Prätentionen festhalten will, kann fortan nur noch die Akteure einer »kosmologischen Humoreske« charakterisieren.

WELT, ODER AUCH NICHT. Indessen: Zeigt denn nicht gerade dieser »Blick vom Mond« auf Mensch und Erde ein All, das eben als solches nicht vom Kontingenzschock betroffen ist? Erzwingt das Kontingente nicht auch noch in einer enthaupteten Ontologie den Rekurs auf das Ganze als das Wahre und Notwendige? So mag es tatsächlich einmal für den frühen Anders ausgesehen haben, der noch im Tagebuch aus Hiroshima und Nagasaki den »pantomanen« Hegelschen Grund-Satz als Wahlspruch seiner philosophischen Studienzeit zitiert. Doch für den »Ketzer« Anders ist auch das »Ganze« etwas Kontingentes, Entbehrliches, bloß empirisch Gegebenes.[75] Mit den kosmologischen Kontingenzaussagen Kants nicht nur über die Existenz der Naturgesetze, sondern das Dasein »aller Dinge der Natur« einschließlich des ganzen Sonnensystems stellt er die Welt im ganzen zur Disposition.[76] Die Fremdheit des Menschen gegenüber sich und seiner Welt wird totalisiert. Das Dasein ist nicht bloß »nicht von dieser«, sondern von keiner Welt.[77] Die »Geworfenheit« des »In-der-Welt-Seins« wird zur Geworfenheit des »Welt-Seins«. Reißt der Kontingenzschock zunächst in beiden Fassungen der Andersschen Doppelformel den Menschen und die Welt auseinander, so kollabiert in letzter Instanz restlos alles, wenn diese Formulierung nicht noch irreführend ein Subjekt festhielte, in einer »Welt ohne Welt«. Erst bezogen auf die Totalität wird die Möglichkeit des Anders-Seins, die der Kontingenzbegriff zunächst impliziert, zu der des Nicht-Seins radikalisiert. Jetzt sind endgültig Existenz- statt Essenzfragen gestellt – in einer Zuspitzung, die den Sartreschen Vorrang der Existenz vor der Essenz fundamentalontologisch überbietet. Ein neuer, ein noch wörtlicher zu verstehender »Existenzialismus«.[78]

KRÜCKENPHILOSOPHIE. Die fortschreitende Totalisierung der Kontingenz von der des Individuums und *seiner* Welt über die der menschlichen Gattung bis hin zu *der* Welt läßt allerdings noch nicht die ganze Radikalität der von Anders' Kontingenzphilosophie ausgehenden Infragestellung erkennen. Sie wird erst einsichtig, wenn man einbezieht, wie Anders, mehr denn je in der Rolle des philosophischen Ikonoklasten, mit jenen Hilfskonstruktionen verfährt, die eine kompatiblere Philosophie gerne zur Stabilisierung des Kontingenten aufbietet.

Die wirksamste war für die Tradition, wie gezeigt, die Anbindung des Kontingenten an den nichtkontingenten göttlichen creator. Wo diese aber nach dem »Tod Gottes« nur noch begrenzt philosophisch salonfähig ist, springt die Philosophie (oder was von ihr in benachbarten Disziplinen überwintert) dem Kontingenten mit zwei, wie es scheint, soliden metaphysischen Krücken bei: der Moral und dem Sinn. Wenn das Seiende schon sein oder auch nicht sein kann, so soll es doch sein, und vor allem das Sollen soll sein; und so hat es doch seinen spezifischen Sinn. Die kontingenzphilosophische Destruktion – der wahre zeitgenössische Dekonstruktivismus – erreicht bei Anders indessen gleichermaßen die sozusagen immer nur »vorletztbegründete« Moral wie den Sinn von Sein und den Sinn von »Sinn«.

VOM TODE DES SINNES. Die »Antiquiertheit des ›Sinnes‹« hat für Anders neben realgeschichtlichen Aspekten vorab ideologiegeschichtliche Gründe: *»Die Sinnfrage ist die säkularisierte Version der Theodizee-Frage. Oder die getarnte Rechtfertigungsfrage des Atheisten.«*[79] Wie die Theodizee-Frage wird sie nicht in bezug auf fraglos Positives, sondern auf Problematisches, Negatives gestellt.[80] Dessen »Bestimmung« soll ans Licht: was wohl die Providenz, die Geschichte, der Fortschritt, die List der Vernunft oder was immer als Statthalter des göttlichen Sinngebers damit im Sinne gehabt haben mag...[81] Nach dem Tode des obersten Sinnherrn aber ist die Sinnfrage adressaten-, also bezugslos geworden. Wir sind »›Nichtgemeinte‹«.[82] »Wie will man mit Rätseln Rätsel lösen?«[83], war schon zu Lebzeiten Gottes die Frage. Und jetzt ist davon nur noch eine Sendung ohne Sender, eine Bestimmung ohne Bestimmer, ein Sinn ohne Sinngeber übriggeblieben – mithin Unsinn.[84]

Diese Polemik – das ist wichtig, um das Spezifische der Andersschen Position zu fassen – zielt nicht auf das Sinn*widrige*, wie es u.a. in der Weltschmerztradition des 19. Jahrhunderts der Fall war, die aus der Klage über das kreatürliche Leiden, über die Misere von Leben und Welt lebte.[85] Obwohl Anders dieser Tradition keineswegs nur kritisch gegenübersteht, ist er nichts weniger als ein Stimmungs- oder ein metaphysischer Pessimist.[86] Seine Sinnkritik ist vom Sinn-*losen*, vom Un-Sinn einschließlich dem der Frage nach dem Sinn motiviert.

Bei aller Polemik räumt Anders zwar ein, daß sich die Warum-Fragen nur schwer ersticken lassen und auch der Philosophierende, der von ihrer Aussichtslosigkeit weiß, nicht gegen sinnlose Sinnfragen immunisiert ist: Schwer ist es, sich mit einem Sein abzufinden, das nichts als da und für nichts da ist.[87] Die traditionelle Metaphysik ist ohnehin außerstande, auf den Sinn-Begriff zu verzichten. Aber das dispensiert nicht von seiner nötigen Dethronisierung – schon gar nicht, wenn, wie in der Gegenwart, die Sinn-Produzenten geradezu inflationär auftreten. Besonders die »Logotherapie« Viktor E. Frankls und der »Franklisten« wird hier mit dem ganzen Hohn von Anders konfrontiert.[88] Eine ganze psychologische Schule, die »dritte Wiener Schule«, die mit Freuds entschlossenem Sinnverzicht freilich nicht mehr das geringste gemein hat, ist hier mit der Herstellung von Sinn beschäftigt: von logotherapeutischen Placebos. Man muß nur den *»Willen zum Sinn«* aufbringen und wieder ans Glauben glauben. *»Jeder ist seines Sinnes Schmied«* ... Und natürlich: Je weniger Sinn man in der Realität findet, um so »tiefer« muß er sein; man muß nur gehörig tief graben. Kunst-Sinn, richtiger: künstlicher Sinn, ist das Surrogat für die reale Sinn- und Ziellosigkeit, die »Telos-« und »Eidoslosigkeit« der hochspezialisierten und automatisierten modernen Welt.

Die rabiate Zuspitzung von Anders liegt indessen darin, daß *alle* Realität für ihn teloslos ist. Diese fundamentalere Sinnkritik belegt er mit einem logischen und semantischen Argument, bei dem im Leitbegriff der »Iteration« die Schulung durch die *Logischen Untersuchungen* Husserls durchschlägt.[89]

»Sinn« heißt immer: »Sinn *haben*«, und zwar »Sinn haben für etwas«. »Ohne ein solches ›Für‹ ist die Rede von ›Sinn‹ unsinnig: einen gewissermaßen auf nichts bezogenen, ›frei schwebenden Sinn‹ gibt es nicht.«[90] »Sinn« meint immer ein Binnenphänomen, das eine Relation von etwas Seiendem zu anderem Seienden impliziert.

Diese Relation aber hat es fatalerweise an sich, daß sie sich »iteriert«: Die Frage, welchen Sinn etwas für etwas hat, stellt sich immer wieder von neuem – mit der Konsequenz, daß sie entweder auf eine *»Iteration ad infinitum«*[91] hinausläuft oder, wenn der Sinn des Vorletzten für das Letzte abgehandelt ist, uns nach dem Sinn des Ganzen zu fragen zwingt. Nun wird die erfahrungsgemäß selten gestellt. Ohnehin erweckt *»Größe als solche den Eindruck von Justifikation«*.[92] Eigentlich aber ist die Frage absurd. Denn welchen außer ihm liegenden Sinn könnte das Ganze, die Welt, das Sein als solches wohl haben, wenn es denn wirklich das Ganze, die Welt, das Sein als solches ist? »Je größer das Seiende, das wir nach ›Sinn‹ abfragen, (...) um so sinnloser wird die Suche nach seinem Sinn – kurz: *Größe und Sinn sind entgegengesetzt proportional.* (...) Der Begriff ›Sinn der Welt‹ ist, mindestens in jeder nicht-theologischen Philosophie, eine contradictio in adjecto (...). Sinnfragen haben Sinn allein so lange, als wir Einzelstücke oder -funktionen daraufhin abfragen, welche Rolle sie innerhalb eines größeren Ganzen spielen. Bis zum ›metaphysisch vorletzten‹ Stück mögen solche Fragen relativ sinnvoll bleiben. Total sinnlos, reines Blabla, ist dagegen die angeblich tiefste und metaphysischste Frage nach dem Letzten, also nach dem sogenannten ›Sinn der Welt‹. Hätte die Welt als ganze einen Sinn, dann einen ›für etwas‹ – was beweisen würde, daß sie eben nicht ›das Letzte‹ ist.«[93]

Oder, um die analoge, von Anders im einzelnen nicht erwähnte Argumentation von Ernst Troeltsch in seinem Artikel über ›Die Bedeutung des Begriffs der Kontingenz‹ zu zitieren, die Anders' Überlegungen neben Husserls logischen und Schelers anthropologischen Untersuchungen inspiriert haben könnte: »(...) hat man einzelnes durch Ableitung von anderem begriffen, so bleibt immer jenes andere etwas Kontingentes. Sollte man aber meinen, aus der Tatsache der Weltgesamtheit das einzelne sämtlich (...) herleiten zu können – was (...) bestenfalls ein logisches Postulat ist –, so wäre erst recht das Dasein der Welt selbst etwas Irrationales und Kontingentes. Das Unbegreiflichste ist, sagt d'Alembert, daß es überhaupt etwas gibt.«[94] Kurz und drastisch: Die Frage nach »dem Letzten« ist wirklich das Allerletzte. Wer aufs Ganze geht, redet die (Ab-)Normalsprache der Metaphysik, vulgo: Er faselt »Blabla«.

Diesem Verdikt kann die sinnfreudige Tradition nur zuvorkommen, indem sie unterscheidet zwischen dem »Sinn-*haben*-für« und dem »Sinn-*sein*-von«.[95] Aber hinter diesen schönen Worten – abgesehen davon, daß sie den Gott als den religiösen Statthalter des »Ganzen« und obersten Sinnherrn wieder meist unangetastet lassen – verbirgt sich nichts als eine zirkuläre Argumentationsstruktur, die der Iteration der Sinnfrage nicht zuvorkommt, sondern sie erneuert[96]: Der Gott *ist* der Sinn von Seiendem, das seinen Sinn *hat* in einem Sein, dessen Sinn der des Seienden *ist*... da capo ad infinitum. Wie blasphemisch auch immer das klingen mag: Der Gott ist sinn-los; das Ganze, die Welt hat keinen Sinn. Die Sinnfrage bleibt nicht bloß ohne Antwort; sie läuft, auf allen Ebenen und wie auch immer man sie wenden mag, am Ende sinnlos ins Leere.

Die spezifische Bedeutung dieser radikalen Sinnkritik erhellt aus ihrer Parallelität und ihrem Kontrast zu den Kontingenzaussagen und Sinnpostulanten, die der neben *Sein und Zeit* wichtigste philosophische Text des 20. Jahrhunderts, Wittgensteins – von Anders nicht diskutierter – *Tractatus logico-philosophicus*, vorgetragen hat: »In der Welt ist alles, wie es ist, und geschieht alles, wie es geschieht; es gibt *in* ihr keinen Wert – und wenn es ihn gäbe, so hätte er keinen Wert. (...) Denn alles Geschehen und So-Sein ist zufällig.« Soweit die von Wittgenstein zugestandene Kontingenz. Aber Wittgenstein postuliert auch, wiewohl nur hypothetisch: »Was es (alles Geschehen und So-Sein, L. L.) nicht zufällig macht, kann nicht *in* der Welt liegen, denn sonst wäre dies wieder zufällig. Es muß außerhalb der Welt liegen. (...) Wenn es einen

Wert gibt, der Wert hat, so muß er außerhalb alles Geschehens und So-Seins liegen.« Und noch einmal: »Der Sinn der Welt muß außerhalb ihrer liegen.«[97] Doch, so wäre mit Anders zu fragen: Warum *muß* es einen Sinn und einen Wert geben, *wenn* es überhaupt einen Wert gibt, der Wert hat? Und was liegt schon außerhalb der Welt? Frei nach Nietzsche: die tief-sinnige Hinterwelt?

VORLETZTBEGRÜNDETE MORAL. Auch an einen anderen Satz des *Tractatus* hätte Anders anknüpfen können: »Darum kann es auch keine Sätze der Ethik geben. (...) Es ist klar, daß sich die Ethik nicht aussprechen läßt.«[98] Eine »Antiquiertheit der Ethik bzw. der Moral« analog zur »Antiquiertheit des Sinnes« hat Anders zwar nicht programmatisch verkündet; die Argumentation seiner Sinnkritik kehrt aber in seiner Moralkritik wieder; und zwar mit ähnlicher Rabiatheit.

Wirft Anders Heidegger in seinem ersten großen Nachkriegsaufsatz *Nihilismus und Existenz* vor, daß er aus Mangel an Mut seinen »moralischen Nihilismus« nie einbekannt, die Frage: *»›Warum soll man sollen?‹«* nie zu stellen gewagt habe[99], so formuliert er selber ohne jede Einschränkung das *»moralische Pendant«* zur Heideggerschen Seinsfrage, und zwar in einem Rahmen, der die Provokation auf die Spitze treibt: Im KZ Mauthausen, im Gespräch mit einem amerikanischen Professor aus einer Pastorenfamilie, wird die Endlösung der Moralfrage riskiert: *»Warum sollen wir Menschen und warum soll die Welt sein? Und warum sollen wir sollen?«*[100] Ja, warum – es sei denn, der zuvor noch aufrechterhaltene Restbestand an spezifisch philosophischer Moral, daß *»Fragen verlangen, zu Ende gedacht zu werden«* [101], würde als Vorurteil enttarnt.

Die heteronome religiöse Moral antwortet auf dieses »Warum«? mit dem Absolutismus der göttlichen Gebote und Verbote. Nach dem Tode Gottes sind indessen auch sie wie die Sinngebungen der Tradition basislos geworden, schlechthin unsanktioniert: Gebote ohne Gebieter, »ein Spruch ohne Sprecher, ein Kommando ohne Kommandanten«.[102] Der Sieg der Naturwissenschaften hat die Welt ohnehin in ein Ding jenseits von Gut und Böse verwandelt – so vollständig und unwiderruflich, daß bereits das Pathos, mit dem Nietzsche noch diese neuartige immanente Transzendenz verkündet hatte, obsolet geworden ist.[103]

Wo aber dann anknüpfen, es sei denn, man beschränkte sich auf die bloße Unterstellung, Menschen seien *»Sein-sollende«*[104] und also auch selber Sollende? Zeitgenössische Entwürfe wie etwa die Letztbegründungsversuche der Transzendentalpragmatik oder die kommunikative Ethik der Universalpragmatik diskutiert Anders nicht, wie er sich überhaupt auf die philosophische Ethik-Diskussion kaum einläßt. Das eingangs diagnostizierte Defizit ist hier vielleicht am stärksten spürbar. Traditionell maßgebliche Ethiken wie z. B. die Kants, die scheinbar autonome Selbstgesetzgebung der reinen praktischen Vernunft, sucht er als verkappte Form kategorischer Befehlsstrukturen ohne Befehlshaber zu entlarven.[105] Die materiale Wertethik bleibt, ohne daß sie bei aller iterierten Polemik gegen die Schelersche Anthropologie eigens gewürdigt würde, offenbar den verkappt »metaphysischen« Ethiken subsumiert. Und allein sie werden unter diesem Globaltitel eingehender erörtert, mit dem Resultat, daß es keine nachmetaphysische Ethik geben kann.

Platonisch-scholastisch im Geist, setzt die metaphysische Ethik das Seiende als das Gute mit dem Gesollten gleich.[106] »Ita est, ergo ita sit«, lautete einst die zugehörige Gleichung von »ens« und »bonum« in der Tradition. Oder es meldet sich ein »verquerer Cartesianismus« zu Wort: *»Wir sind, also sollen wir sein. (...) Es ist. Also soll es sein.«*[107] Anders' Mauthausener Gesprächspartner bricht im Zeichen dieser Ethik kurz und knapp die Debatte ab: »›Das ist alles reiner Wahnsinn!‹ schrie er nun völlig unkontrolliert, und alle Argumente des Gesprächs waren ausgelöscht. *›Wir sind da!‹* schrie er. *›Also sollen wir auch dasein. Ohne weiteren Kommentar! Basta!‹«*[108] Vom metaphysischen »Blabla« zum ethischen »Basta« führt der Weg; Ethiker sind offenbar wenig selbstbeherrscht und schon gar nicht höflich. Anders revanchiert sich, indem er mit einer ebenso schlagenden wie rücksichtslosen Wendung die latente Affirmativität dieses Arguments ans Licht zerrt, mit dem sich ex negativo auch das Nicht-sein-Sollen der Nicht-mehr-Seienden absegnen ließe: »Stumm durchschritten wir das Tor in die Außenwelt, das unsere Vorgänger niemals hatten durchschreiten dürfen. Da sie nicht mehr da waren, hatten sie offenbar nicht mehr sein sollen.«[109]

Immerhin: Die versteckte Stimme eines *»›metaphysisch Konservativen‹«*[110], die Anders aus dem Schluß vom Sein aufs Sollen heraushört, ist auch die seine, wenn er in anderen, moralfreudigeren Zusammenhängen Ethik und Ontologie miteinander identifiziert.[111] Das hat im Kontext der zeitgenössischen Philosophie um so mehr Bedeutung, als der mit Anders öfters in seinen praktischen Schlußfolgerungen verwandte Hans Jonas bei seinem Versuch, das »Prinzip Verantwortung« zu begründen, dezidiert ontologisch vorgegangen ist.[112] Die Frage, warum überhaupt etwas sei statt nichts und »warum überhaupt Menschen in der Welt sein sollen«, wird von Jonas ausdrücklich »jenseits des Wertsubjektivismus« mit dem Rekurs auf das Sein beantwortet, d. h. mit einer »primären Pflicht zum Sein gegen das Nichts« und dem kategorischen Imperativ, »*daß* eine Menschheit sei«. Was ontisch ist, soll ontologisch sein, weil Sein einen absoluten Vorrang vor Nichts hat; weil die mit der *»Existenz«* gegebene *»Möglichkeit«* unter allen Umständen offengehalten werden muß und die dem Sein inhärente Zweckhaftigkeit – seine Teleologie, durch die es immer schon bejaht wird – nur selbstwidersprüchlich aufgehoben werden könnte.[112a]

Konkret hat sich auch Anders zum Beispiel auf die Debatte, die Jonas aus ontologischer Perspektive über die genetische Manipulation führt, eingelassen.[113] Aber weder dieses Thema noch prinzipiell die moralischen Versuchungen des metaphysischen Konservatismus hindern Anders einzugestehen, daß es ein vergebliches Bemühen ist, die »quaestiones facti« zu »quaestiones iuris« machen zu wollen.[114] Der sogenannte »naturalistische«, in Wahrheit der »moralistische Fehlschluß« vom Sein auf das Sollen, der von Jonas ausdrücklich erneuert wird (um den Preis, daß er die Teleologie der Ontologie unterschiebt)[115], weist dieselbe zirkuläre Struktur wie die Sinnfindung auf: Was ist, *hat* Sinn, weil der Sinn von Sein *ist*; was ist, soll sein, weil das Sollen im Sinn des Seienden ist...

Moralische Gebote bleiben also wie die Sinnqualitäten pure Binnenphänomene und auch nur als solche begründbar[116]: Etwas hat für etwas Sinn; etwas ist für etwas gut. Angesichts der »Unfestgelegtheit« des Menschen ist Moral zwar durchaus eine der Methoden, das Kontingente, die Kultur, die wir von Natur aus brauchen, halbwegs haltbar zu machen: Der Freiheitsdefekt des Menschen verlangt nach Kompensation. Damit aber kommt man keineswegs bei einer absoluten Moral, sondern nur bei *»Bedingungen der Nötigkeit«* an. *»Wir müssen sollen«*[117]; und eben *wir* sind es, die sollen müssen. Würden wir das Sollen paritätisch neben das Sein im ganzen stellen, so liefe das nur auf die absurde kosmische Extension der anthropozentrischen Mikrobenperspektive hinaus.[118] Die *»metaphysischen Schnittblumen«* humani generis treiben in jeder Hinsicht *»wurzellos im Ozean des moralisch indifferenten Seins herum«*.[119]

Im übrigen wird auch das menschenweltliche wie jedes Gut-sein-für von der Iteration ad infinitum ereilt. Das Ganze aber kann wieder nicht in etwas außer ihm Liegenden begründet werden: Wie der Gott sinn-los, so ist es per definitionen moralisch grund-los. »Was auf der selber schwebenden Erde zu stehen scheint, das schwebt gleichfalls.«[120] So bleibt es dabei: Was da ist, ist als solches eben auch nichts als da. Es ist nicht obligatorisch.

SCHWARZE ONTOLOGIE. Wenn die moralische und die logotherapeutische Krückenphilosophie so eindrucksvoll versagt, dann ist endgültig der Weg frei, die Leib- und Magenfrage der Ontologie rückhaltlos zu stellen: »Warum ist überhaupt etwas und nicht vielmehr Nichts?« Anders greift sie iterativ, wenn nicht obsessiv auf, variiert sie und spitzt sie über den Rahmen des bisher fundamentalontologisch Möglichen zu.[121]

Ihre Ahnenreihe datiert er von Leibniz, bei dem auch Jonas einsetzt, über Schelling, Weiße, Lotze bis zu Heidegger, der natürlich bei dem ehemaligen Studenten in der Hauptstadt des Seyns am Oberrhein im Mittelpunkt steht. Nur Schelers Fassung der Seinsfrage als Weltfrage bleibt, wie schon vermerkt[122], unberücksichtigt: Man darf annehmen, daß sein Einfluß von dem Heideggers überdeckt, auch überboten worden ist.

Inwieweit Anders' Genealogie der Frage zutrifft; mehr noch, ob seine Lesart der Heideggerschen Seinsfrage angemessen ist, steht dahin. Die Differenz der Lotzeschen Formel etwa, wie Anders sie – nicht ganz korrekt – zitiert[123] (»Worin es eigentlich liegt und wie es zugeht oder gemacht wird, daß überhaupt etwas ist und nicht lieber nichts ist«), zur Heideggerschen Fassung der Frage (»Warum ist überhaupt Seiendes und nicht vielmehr Nichts«)[124] ist schon beträchtlich. Zu vermerken auch, daß Anders das Heideggersche »ist« öfters in ein »es gibt« verwandelt[125], das »warum« gelegentlich durch ein »wozu«, also den Grund durch das Telos ersetzt[126] und das gefragte Sein des Seienden entweder als Sein-Sollen[127] oder als Wesen, als dem Sein vorgelagertes Etwas versteht – was die Frage, wie Anders selber rügt, sinnlos macht[128], denn so wird sie wieder nur iteriert. Gravierender schließlich, daß Anders im Gegensatz zu Heideggers Sprachgebrauch »nichts« klein schreibt, also zumindest formal den Heideggerschen Nachdruck vermissen läßt, und zwar im Widerspruch zu den eigenen Intentionen, denen es auf die Verschärfung der Seinsfrage ankommt. Denn genau besehen, versteht Anders schon die Frage als Schwundstufe des kontingenzphilosophischen Staunens, insofern sie nämlich ihre Beantwortbarkeit, ihre Überführbarkeit als »Problem« in eine Theorie suggeriert.[129]

In der Tat mag das für den Fragegestus vorheideggerscher Ontologen zutreffend gewesen sein: Sind sie, wie paradigmatisch Leibniz, nicht allemal von Seins- und Sinngarantien ausgegangen, denen durch die philosophisch obligate Fragerei nur höhere Dignität und Stringenz abzugewinnen war? Aber selbst in Heideggers Seinsfrage kann Anders nicht mehr als die Grundfrage eines noch aus dem Glauben herkommenden *»verschämten Atheisten«* entdecken.[130] Gibt hingegen der Kontingenzschock der Frage ihren Impuls und ihre Schärfe, so daß sie in das dogmatische, seinspositivistische Bewußtsein einschlägt wie ein Blitz[131], dann entzaubert sie die Seins- und Sinngarantien als Garantieschein und führt ins Leere: Es gibt keinen plausiblen Grund, warum Seiendes ist und nicht vielmehr Nichts – wenn es denn als zeitlich episodische und kosmisch exzentrische Bagatelle überhaupt wahrhaft *ist* und nicht bloß, nach den Erkenntnissen jener *»›schwarzen Ontologie‹«*, wie sie Anders »in Analogie zur ›schwarzen Messe‹« dem späten George Grosz zuschreibt, ein »nur ›noch nicht Nichtseiendes‹«, ein *»Loch im Nichtseienden«*, eine »Unterbrechung des Leeren«.[132] Als Kontingentes – und, noch einmal, für Anders' kontingenzphilosophischen Monismus gibt es nichts anderes – bedürfte es der Begründung und Rechtfertigung; und eben die findet es nicht. Als das Unbegründete, Ungerechtfertigte und Entbehrliche wandert das Unwesentliche, Zufällige, Nicht-Notwendige, ja, »X-Beliebige«, geradezu auf den »Abfallhaufen der Kontingenz«.[133] »Nichts als da«, scheint es auch »zu nichts da«.[134] Zynisch zugespitzt: *Die »Seierei« ist ungeseit*[135]*; die Sollerei ungesollt, die Sinnerei sinnlos.* Und wäre dieser Satz nicht der eines vollendeten Nihilisten; gesagt in einer Situation, die ihrerseits nichts weniger als »x-beliebig«, als kontingent ist, in der vielmehr die ganze »Seierei« real an ihr Ende zu kommen droht?

DOPPELTER NIHILISMUS. Es spricht für Anders' Unerschrockenheit, daß er das Prädikat eines »Nihilisten« nicht scheut. Und das ist keineswegs bloß provokante Attitüde eines berufsmäßigen »Ketzers«, der den ›Positivismus‹ nun einmal fürchtet wie sonst nur noch der Teufel das Weihwasser.

Der »Nihilismus«-Begriff nimmt dabei einerseits Elemente des traditionellen Wortverständnisses auf; andererseits formiert er zusammen mit dem Kontingenzschock ein für Anders spezifisches Syndrom.

Wie schon für den Nihilisten des 19. Jahrhunderts, den Anders im ersten Band der *Antiquiertheit des Menschen* porträtiert[136], ist Nihilismus der vollendete Naturalismus einer naturwissenschaftlich entzauberten Welt. Gott ist tot, natürlich, sogar töter als tot, wenn es nicht auch hier ein »Ende des Komparativs« gäbe; aber auch die Werte, die Moral, das Sollen gelten nicht mehr. *»Alles ist Eines«*, lautet die nihilistische Grundformel: die einer »invertierten« Mystik.

»Alles ist Eines« zunächst im Sinn eines negativ akzentuierten[137] *»metaphysischen Monismus«*, der in der vollständig »blinden, entgotteten, zwecklosen, rechtlosen, unerlösbaren, erlösungsbedürftigen, kurz: materiellen Naturwelt« alle substantiellen Unterschiede zwischen Menschen und Göttern, Menschen und Tieren, Freiheit und Determination dementiert: »Alles ist *einer Art*.«[138]

»Alles ist Eines« sodann, und das ist wichtiger, im Sinn eines negativ akzentuierten Indifferentismus, der sagt: Es ist alles gleich. »Es gibt nichts Gesolltes; alles ist egal; alles ist erlaubt.«[139] Die Kontingenzphilosophie präzisiert: nicht nur Verneinung *der* Werte, sondern Verneinung des Seins – wie gezeigt, totalisiert vom Ich und seiner Welt über die Gattung bis zur Welt und dem Seienden im ganzen – *als* schlechthin seinsollenden Wertes, der zwingend begründet werden kann.

Das nihilistische Bekenntnis von Anders gibt sich unterschiedlich deutlich. Im ersten Band der *Antiquiertheit des Menschen* und der *Atomaren Drohung* etwa erklärt er den Nihilismus bloß für unwiderleglich.[140] Im Nachwort zu den *Ketzereien* nimmt er schon etwas deutlicher, auch persönlicher, »Ferien vom Moralismus«.[141] Zumeist aber macht er ganz unverhohlen klar, daß er sich »selbstverständlich« als Nihilisten und Amoralisten versteht.[142] Leben und warten die unheldischen Helden der *»ontologischen Farce«* Becketts noch aus der Unfähigkeit heraus, die Kontingenz anzuerkennen, *»auf den Sinn-Begriff zu verzichten«* und so wirkliche Nihilisten zu sein[143], so ist der Ontologe Anders sichtlich weiter: Er hat »Mut zum Nihilismus.«[144] Der »Ketzer« nimmt sogar entschieden für sich in Anspruch, daß er, indem er sowohl das Sein wie das Sollen für kontingent erklärt, ein »doppelter Nihilist« sei.[145]

Die Dialogform der *Ketzereien* tut ein übriges: In ihrer polemischen Zuspitzung gegen die Verteidiger der Werte, des Sollens, des Seins und des Seins als Wertes zeigt Anders sich durchaus als theoretisch aktiven Nihilisten. Mit dem nötigen Nachdruck gesagt: Der größte Moralist des Atomzeitalters, der an exponiertester Stelle: am Ende seines *Besuches im Hades* Adornos *Minima Moralia* seine *»Maxima Moralia«* entgegenstellt[146]; der in seinen »Off limits für das Gewissen«, dem Briefwechsel mit Claude Eatherly, (wie zuvor in der *FAZ*!) mit den »Geboten des Atomzeitalters« fast einen neuen Dekalog formuliert[147], erklärt, daß er letzten Endes ein nihilistischer Amoralist sei.

Das dürfte schon ausreichen, damit die noch gläubigen wie die schon säkularisierten »Hirten des Seins« die frommen Hände über dem Kopf zusammenschlagen; Anders selber nennt in den *Ketzereien* mehr als ein Gesprächsbeispiel dafür. Wirklich irritierend, bisweilen abgründig, wird der Eindruck indessen, wenn man die Momente einbezieht, die auch auf eine innere Affinität zwischen einigen Impulsen des Kontingenzdenkens und denen des Nihilismus deuten.

DIE DIALEKTIK DER HEROSTRATISCHEN BEGIERDE. Auch der von Anders porträtierte klassische russische Nihilist des 19. Jahrhunderts, bei dem er an den anarchistischen Bombenwerfer, den Terroristen denkt, lebt aus einer Situation des Schocks.[148] Enttäuschter Idealist und Moralist, der er ist, kann er mit der entgotteten und entwerteten Welt nicht zu Rande kommen: Bei allem, was ihm gleich wird, ist ihm seine desillusionierte Erkenntnis nichts weniger als gleich. In Analogie zu den von Freud diagnostizierten drei Kränkungen im Laufe der Wissenschaftsgeschichte der Menschheit erleidet er vielmehr eine tiefgehende narzißtische Kränkung, für die er sich an aller Welt rächen muß. Wenn schon alles eins ist, dann will er auch entschlossen die Probe auf den Amoralismus machen. Und der monistische Schock setzt ihn zugleich instand, sich über alle supranaturalen Autoritäten, alle Solls hinwegzusetzen: Im Zeichen der determinierten Natur erfolgt paradoxerweise die Befreiung.

Die Bombe, die er dann ressentimentgeladen und rücksichtslos unter Menschen und Dinge wirft, läßt schlüssigerweise alle Unterschiede explodieren: Sie ist die vollzogene nihilistische Gleichung. Zugleich zeigt er mit ihr, daß er dann doch nicht mit allem eins und gleich ist. Seine Tat ist ebenso *»Monismus in Aktion«* wie die Rache daran. *»Ich vernichte, also bin ich – doch.«*[149]

Schmerzlich an seiner Erfahrung nur, wie wenig und wie wenige seine Bombe erreichen kann. Seine melancholische Verzweiflung über die Nichtigkeit der Welt kulminiert in einer zweiten Verzweiflung über die Unvernichtbarkeit des Nichtigen. Er, der als Zwillingsbruder des Metaphysikers wenigstens negativ aufs Ganze gehen will, erlebt seine herostratische Impotenz.[150] Und zu den Grenzen der herostratischen Begierde kommt deren unaufhebbare Dialektik hinzu: die, daß die Rache am Monismus für ihre tödlichen Triumphe ein Publikum braucht, das nicht mit den Opfern identisch werden darf. Eine doppelte Grenzerfahrung also, aus der eine potenzierte Verzweiflung resultiert.

Dem klassischen Nihilisten folgen dann die Indolenten und die Verneinenden, die intellektuellen Gottesmörder und die ikonoklastischen Wertezerstörer, wie sie in Sils-Maria mit dem symbolischen Hammer philosophieren, und schließlich der nicht mehr bloß symbolische Nazi-Nihilismus. Aber keiner dieser Nihilisten geht wirklich aufs Ganze; keiner von ihnen ist insofern »eine wahrhaft *philosophische Figur*«.[151]

Erst in der Gegenwart, nach Hiroshima, hat der klassische Nihilismus eine komplementäre Fortsetzungs- und Steigerungsgeschichte gefunden. Der unausgesprochene Grundsatz der Bombe ist wieder der des nihilistischen Monismus: Vor ihr und für sie ist wirklich alles eins und gleich, Menschen wie Dinge oder auch die Existenz der Welt.[152] Indessen kennt sie die Grenzen, an denen die herostratische Begierde des klassischen Nihilisten noch litt, nicht mehr. Mit der Möglichkeit der »reductio ad nihil«: der »potestas annihilationis«, wird die immer zweifelhaft gebliebene Allmacht des Gottes zur »creatio ex nihilo« negativ realisiert. Kurz: Mit der Bombe wird aus Nihilismus endgültig Annihilismus.

Der könnte zwar der Dialektik des Herostraten, für die Vernichtung ein Publikum zu brauchen, noch viel weniger als der klassische Vorfahre entgehen. Aber der kosmische Herostrat in persona ist ja auch noch nicht in Sicht. Die derzeitigen Herren der Bombe sind vielmehr zumeist biedere Leute ohne jede philosophische, geschweige denn nihilistische Aspiration.

So laufen in der bisherigen Bomben- und Nihilismusgeschichte nihilistische Kompetenz und annihilistische Potenz noch auseinander. Das platonische Programm: »Philosophen auf die Königsthrone!« ist unter (an-)nihilistischen Auspizien noch nicht realisiert. Aber sollte es einstweilen nicht so weit realisierbar sein, daß die Bombe wenigstens im Denken gezündet wird: als philosophischer Kosmo-Herostratismus, als End-Wurf der Geworfenheit, um den zugehörigen fundamentalontologischen Kalauer zu kreieren?

FEUERWEHRMANN UND PYROMANE. Auf jeden Fall diagnostiziert Anders: *»Die Bombe und der Nihilismus bilden ein Syndrom.«*[153] Höchst unterschiedliche Dinge, sowohl die Einsteinsche Äquivalenzformel »$E = mc^2$« als naturwissenschaftliche Entsprechung zur »alles ist Eines«-Formel wie der französische existentialistische Nihilismus wie der menschenverachtende nationalsozialistische Terror, haben aus seiner Sicht den Zusammenfall von *»Massen-Nihilismus«* und *»Massen-Annihilation«* vorbereitet. Dem (an-)nihilistischen Zeitgeist ist es ohnehin »vollkommen gleichgültig, ob er die Existenz der Bombe als Zeugnis für die Sinnlosigkeit des Daseins oder umgekehrt die Sinnlosigkeit des Daseins als Legitimationsgrund für die Existenz der Bombe verwendet«.

Ja, »wir alle« seien (an-)nihilistisch infiziert – wir alle: auch der Diagnostiker dieses Syndroms, so sehr er sich selber davon auszunehmen scheint?

Tatsächlich fehlt es nicht an Belegen, die den Verdacht erhärten, daß der reale Annihilismus, dem der Moralist Anders mit beispielloser Energie und Entschiedenheit zu widersprechen scheint, in seinem vollendeten philosophischen Nihilismus auch Entsprechungen findet. Analog sowohl zum klassischen Nihilisten wie zur unausgesprochenen Maxime der Bombe kultiviert Anders mit seiner totalisierten Kontingenzphilosophie einen Monismus, der alle substantiellen Unterschiede innerhalb des Seienden und jedes Sollen liquidiert. Auch Anders erklärt: »Sub specie contingentiae« ist alles eins und gleich; »sub specie contingentiae« kann alles sein oder auch nicht. Um gleich das heikelste Zeugnis zu nennen, auch auf die Gefahr hin, empörte Mißverständnisse zu provozieren: Wenn Anders bei seinem *Besuch im Hades* den mörderischen Antisemitismus der Nazis, von dem der Jude Anders im engsten Familienkreis betroffen war, als den nihilistischen Versuch deutet, mit den Nachfahren der alttestamentarischen Begründer des Sollens die *»Kategorie des Sollens als solche«* zu eliminieren[154] – eliminiert nicht auch seine Kontingenzphilosophie letzten Endes diese Kategorie, und zwar, wie gezeigt, unerhörterweise auf dem Boden des KZ Mauthausen?

Und wie steht es mit der Kategorie des Sinns? Wenn mit der Bombe, die selber keinen Sinn hat, weil sie kein Mittel ist und jedes denkbare Ziel transzendiert, jeder Sinn endgültig zu explodieren droht – explodiert nicht in Anders' Kontingenzphilosophie ebenfalls der Sinn? Das Bomben-Monstrum – der Zwillingsbruder der Kontingenz, wie der klassische Terrorist der Zwillingsbruder des Metaphysikers ist?

Die Bombe statuiert das Seiende als das total Vernichtbare – ist es nicht das Nichtige und also Vernichtbare, was der »Blick von oben« auf die irdischen Bagatellen sieht?[155] Stimmt die Reduktion des Seienden auf Kontingente mindere Seinsgrade nicht mit dem geschichtlichen Gerade-noch-sein überein? Der »eisige Schatten«, den gemäß der Anders-schen Lesart von Heideggers »ontologischer Differenz« »heute das mögliche Nichtsein in das Seiende hineinwirft«[156] – wird er nicht eisiger noch von ihm selber geworfen? Werden wir nicht – so Anders' eigener Vorwurf gegen Heideggers Existenzphilosophie, die das »Dasein nach der Zerbombung schon vor der Zerbombung« beschreibe[157] – im Denken vernichtet, bevor wir es real werden? Kollaboriert der Kontingenzphilosoph nicht mit dem bombigen Nichts? Arbeitet der philosophische Nihilismus, den Anders in einer Bloch invertierenden »Nihilistik des Vorscheins« als Antizipation des Annihilismus bestimmt[158], diesem nicht in die Hände?

Gewiß mag man diese »Nihilistik des Vorscheins«, sofern sie nicht im Dienste der Generalprävention steht, als propädeutische Einübung ins Ende deuten: Die Kontingenzphilosophie immunisierte, so gesehen, gegen einen allzu dramatischen Verlust. Das der Bombe zugeschriebene »Ende des Komparativs« gälte auch in diesem Sinn: Sinnloser als sinnlos gibt es nicht. Und wenn der »kosmologische Humorist« Anders das Seiende aus der Perspektive des Apriori des Nichts als das bloß Sekundäre, als ein grund- und nutzlos herumexistierendes Etwas bestimmt, dessen Nicht-Sein natürlicher und plausibler wäre als sein unbestreitbares Doch-Sein[159], dann räumte der grimmige annihilistische Humorist nur etwas gründlicher auf: Wir werden nicht sein; wir werden nicht einmal gewesen sein. Also waren wir eigentlich nie. Und wir mußten auch nicht sein. Kurz: Das von Anders inszenierte metaphysische Nullsummenspiel käme drohenden Negativbilanzen zuvor.

Aber es bleibt doch die irritierende Affinität von Bombe und Kontingenzphilosophie. Im Geleitschutz des größten Moralisten und des größten Immoralisten der Philosophiegeschichte kann Anders jedenfalls Kants »großartigen« und furchtlosen »Verzicht auf unsere Welt«, auf Anthropo-, Geo- und Heliozentrik, und Nietzsches anthropofugales Denken überraschend leicht nachvollziehen[160], ohne noch Kants kryptotheologische oder Nietzsches fatum-amoureuse Stabilisierung zu haben. Die »sog. ›Seinsverbundenheit‹«, die Anders in einem frühen Aufsatz anläßlich von Karl Mannheims *Ideologie und Utopie* dem Bewußtsein zuschreibt[161], kommt doch, wie es scheint, dem seinen nur sehr begrenzt zu. Ja, gibt es nicht in seinem Denken genügend Impulse, die die Bombe als Statthalter des Nichts subkutan positivieren?

Anders' »Pantomanie« etwa, die Leidenschaft für das Ganze, die ihn seit seinen philosophischen und literarischen Anfängen bestimmt –

kommt sie, wie er selber andeutet[162], mit der Bombe als Realgestalt des Monismus nicht wenigstens ex negativo zu dem, was sie will: Aufhebung des Traumas der Individuation, Negation der Negation, Ende aller *»Versäumnispanik«*? Wie würde ein Empedokles des Atomzeitalters den Wahlspruch auslegen: *»Lieber nie als kontingent«*? Hölderlins Empedokles jedenfalls, »der, aus Passion für das Ganze, jedes Besondere *als* Besonderes am liebsten vernichtet gesehen hätte und der schließlich keinen anderen Ausweg wußte als den der Selbstvernichtung, war ein schwärmerischer Nachbar des Nihilisten«.[163] Und der Bombenphilosoph – ist er nicht der Nachbar dieses Nachbarn?

Der Diskrepanzphilosoph, der Theoretiker des prometheischen Gefälles – kann er den Riß, der durch den Menschen und seine Welt geht, nicht viel gründlicher kurieren, als es sonst je geschehen könnte, wenn er nicht diese oder jene entlaufenen Kapazitäten, sondern das Sein im ganzen »einholt«?

Der zweite, der ganze Tod – ist nicht er es auch, der uns vermöge seiner Gründlichkeit von der Malaise des ersten heilt: der uns den Schmerz des Fehlens, des Vergehens, der Ruinen erspart?

Die Bomben-»Apokalypse ohne Reich« schließlich, das eschatologische Pendant der enthaupteten Ontologie – gestattet sie dem Propheten des Atomzeitalters nicht die umfassende finale Perspektive, die er als Prophet, auch als invertierter, nun einmal braucht?

Ist dem aber so, dann artikulieren die gegen das »Prinzip Hoffnung« gewendeten Verse von Anders (»...anders wär': ›nicht mehr‹«) nicht nur das »Prinzip Verzweiflung«, das Ausmaß der Bedrohung; vielmehr deuten sie auch auf eine eigene Inklination. Günther Anders also tatsächlich ein philosophischer Herostrat, das Porträt auch des aktiven Nihilisten tendenziell ein Selbstporträt (mit dem hier und da gewiß hochwillkommenen Zusatz, daß es dieser ›Denker‹ ja immerhin schon zu Gewaltaufrufen gebracht hat)? So aberwitzig die Fragen klingen – Anders selber, der erklärte Feuerwehrmann Anders[164], ist es, der – sonst aller Psychologie, zumal aller Tiefenpsychologie so abhold – in einer bemerkenswerten psychologischen Passage der *Ketzereien* über die Zwillingsbruderschaft von »Feuerwehrmann« und »Pyromane« nachdenkt:

»Der Feuerwehrmann ist der Zwilling des Pyromanen. Auch er kann vom Feuer nicht lassen; er ist von diesem sogar so unwiderstehlich fasziniert, daß er aus ihm seinen Lebensberuf macht, während der Brandstifter sich damit zufriedengibt, seinen Feuerdurst nur nebenberuflich und gelegentlich zu löschen. Ob einer zum Feuerwehrmann oder zum Brandstifter wird, das hängt vermutlich oft von einem winzigen Zufall ab. Manche sind beides zugleich gewesen – Nietzsche zum Beispiel.

Während meines Kampfes gegen die Atomgefahr habe ich mich zwar immer als Feuerwehrmann gefühlt. Dagegen zähle ich, wenn ich philosophiere, zu den Brandstiftern, in deren Reihe zu gehören ich mir als Ehre anrechne. Von Anaxagoras an sind wir als solche klassifiziert, verfolgt und umgebracht worden. Schändlich diejenigen Philosophen, denen es niemals zugestoßen ist, als Brandstifter beargwöhnt oder in flagranti ertappt zu werden.«[165]

Vor dieser Schande ist Anders bewahrt: Man darf den antiatomaren Feuerwehrmann auch als nihilistischen Brandstifter identifizieren. Diese Zwillingsbruderschaft ist die Disposition, aus der überhaupt das bedacht werden kann, was kein epochaler Denker so wie Anders bedenkt. Kein authentisches Denken ohne die immer heikle, immer zwielichtige Nähe zum Bedachten! Schwerlich vorzustellen, daß von den Positiven im Lande, den Gläubigen, den Nur-Moralisten, den permanenten Nihilismus-Überwindern, kurz: den philosophisch Blonden und Blauäugigen jemals eine Bombenphilosophie auf der Höhe der Zeit zu erwarten gewesen wäre.

DIE EISERNE INKONSEQUENZ. Allerdings hat diese Affinitätsanalyse zentrale gegenläufige Momente vernachlässigt: vor allem die Differenz zwischen Amoralismus und Anti-Moralismus, zwischen dem »Ungeseiten« und Ungesollten und dem Nicht-sein-Sollenden. Und die Grenze zwischen *theoretischem* Nihilismus und *praktischem* Anti-Nihilismus, richtiger: Anti-Annihilismus wird dann doch an keinem Punkt von Anders liquidiert. Fern davon, nach Analogie des Monismus-Schocks für den »Kontingenzschock« Rache zu nehmen, gleichsam einer »Kontingenz in Aktion« das Wort zu reden, hat Anders vielmehr diese Trennungslinie immer wieder in aller Schärfe gezogen, meistens im vollen Bewußtsein, daß es sich dabei um ungelöste Widersprüche handelt.[166] *»Mich als handelnden Menschen hat mein theoretischer Nihilismus* *niemals beeinflußt.«*[167] »Mit eiserner Inkonsequenz«[168] – so die ebenso paradoxe wie prägnante Formel – wird der unwiderlegliche Nihilismus limitiert, selbst um den Preis, daß dabei die kritische Selbstbewegung der reinen theoretischen Vernunft zum Stillstand kommt.[169] Wie Anders auf der einen Seite die moralistischen Fehlschlüsse von Hans Jonas vom Sein aufs Sollen, die Identifikation von Ontologie und Ethik nicht teilt, so widerspricht er auf der anderen Seite entschieden jedem »anthropofugalen« Denken, das auch einer »anthropofugalen« Praxis das Wort redet: Konsequenz, so oder so, ist nur um den Preis philosophievergessener Seinsfrömmigkeit oder gnadenloser Misanthropie zu haben.

Der philosophische Ahne dieses Stillhalteabkommens zugunsten »anthropophiler« Praxis ist Kant: In seinem Zeichen wird der Dualismus zwischen der reinen praktischen und der theoretischen Vernunft erneuert.[170] So wenig die Moral letzten Endes begründbar ist, so gelten ihre Maximen doch mit der Stringenz eines regulativen Prinzips: »Sei moralisch, obwohl du, daß ›Sollen sein soll‹, nicht begründen kannst, nein sogar für unbegründbar hältst.«[171] Handle so, als ob die Maxime deines Handelns jederzeit zugleich auch begründet werden könnte: Praxisphilosophie des Als-Ob.[172] Aus dieser Perspektive ist es nur plausibel, daß Anders auch sonst bei der Formulierung seiner Handlungsanweisungen immer wieder auf Kants Formel rekurriert.

Mit Kants Imperativen teilt er die Hochschätzung von »Menschheit« und »Menschenwürde«. In seiner Forderung von Moral und in den Forderungen seiner Moral kehrt der »unnaturalistische, unrealistische, unreelle, letztlich vielleicht sogar religiöse Menschenbegriff und -maßstab« wieder.[173] Das kontingente Menschenleben bleibt für den »zelotischen Moralisten« ein »absolutes Tabu«, geradezu »heilig«[174], obwohl diese Worte kaum noch nach »Ketzerei«, nach rücksichtslosem Atheismus klingen. Und auch gegen die demoralisierende unendliche Iteration der Sinn- und der Sollensfrage muß man sich abschirmen – so Anders' Empfehlung zur Dereflexion –, wenn man dem Menschen und seiner Welt gut bleiben will.[175] *»Nicht den Wurzeln* unseres Daseins und unseres Sprechens haben wir Philosophierenden heute nachzugehen, sondern den *Folgen* unseres Tuns.«[176] Der wahre Moralist begnügt sich mit dem Vorletzten, der Wahl eines mittleren, limitierten Horizontes zwischen moralischer Beschränktheit und Maßlosigkeit.[177] Er handelt so, als ob Welt und Menschheit nicht kontingent wären, sondern unter allen Umständen sein sollten und einen Sinn hätten.[178] Einen berühmt gewordenen Satz von Anders kann man auf diesem Hintergrund folgendermaßen variieren: »Wenn ich Nihilist bin, was geht's mich an?«

In drei Dialogpassagen hat Anders diesen limitierten Nihilismus, diese Moral des sistierten Amoralismus mit Nachdruck formuliert, bezeichnenderweise in der Auseinandersetzung mit Kontrahenten, die ihn selber mit kontingenzphilosophischen Mitteln zu überbieten versuchen.

Die erste findet sich im Wiener Tagebuch von 1951.[179] Sie ist noch auf das Problem »Mensch ohne Welt« bezogen, bietet aber eine für den Gegensatz von Moral und Kontingenzphilosophie insgesamt charakteristische Argumentation. Im Anschluß an eine Debatte über den Nationalsozialismus, die »wahre ›Natur‹« des Menschen und die Rolle entmenschender Situationen vertritt dort ein ungenannter Philosophen-Kollege die These von der Unfestgelegtheit des Menschen so, daß keine Welt ›richtig‹ oder ›falsch‹, vielmehr alle gleichermaßen künstlich seien. Das ist in der Tat die naheliegende Schlußfolgerung aus Anders' früher Kontingenzphilosophie. Aus ihrem Pluralismus ergibt sich ein umfassender Relativismus. Anders selber hingegen moniert: Die mit der Unfestgelegtheit prätendierte Freiheit, die Mehrzahl der Welten ist sozial und politisch nur sehr bedingt gegeben – absurd, einem Galeerensklaven oder einem KZ-Insassen, selbst wenn er kollaboriert, »seine« Welt zuzuschreiben. Er ist Mensch ohne Welt. Der Relativismus wird also seinerseits sozialkritisch relativiert. Allein als affirmative Ideologie aller möglichen Welten läuft die Kontingenzphilosophie auf eine Handlungslähmung hinaus.

Am Schluß des ersten Bandes der *Antiquiertheit des Menschen*, in einer kurz nach dem Wiener Tagebucheintrag festgehaltenen Notiz, radikalisiert dann ein Mitreisender, signifikanterweise im Gespräch mit einer schwedischen Kinderhort-Verantwortlichen, den kontingenzphilosophischen Monismus: Sein oder Nicht-Sein, Russen oder Amis, »Kinderchens« oder auch nicht – es ist alles »Jacke wie Hose«; es ist alles eins und gleich; denn es ist alles sinnlos und »zu nichts da«. Spricht nicht genau so die rücksichtslose Sinnkritik? Aber eben diese Formulierung überspringt die entscheidende Differenz zwischen dem »nichts als da Seienden« und dem »zu nichts da Seienden«. Die Verneinung eines letztbegründbaren Sinns heißt keineswegs: Liquidierung des Sinnlosen. So porträtiert sich hier, im Bild eines ressentimentgeladenen, triumphierenden Verbalaktionisten nur das zeitgenössische Syndrom von Bombe und Nihilismus. Der Zirkelschluß von der Existenz der Bombe auf die Nichtigkeit der Menschen und von der Nichtigkeit der Menschen auf die Angemessenheit der Bombe, der dem zeitgenössischen »anthropofugalen« Denken ja auch so ferne nicht liegt, zeigt im übrigen, wie man mit scheinbar äußerster Konsequenz sinnlose Denkfiguren iterieren kann...

Die angeschlossene Lehrfabel[180] aus einer »molussischen ›Einführung in die Probleme des Nihilismus‹« räumt zwar ein: *»Die moralische Erforderlichkeit von Welt und Mensch ist selbst moralisch nicht mehr begründbar.«* Aussichtlos also, das Schiff, das, von keinem Gotte geleitet, von unbekannter Herkunft, mit unbekanntem Ziel, von episodischer Lebensdauer dazu, durch das Sternbild des Orion zieht, irgendwo verankern zu wollen. Trotzdem haben die Regeln der Schiffsordnung, die das Leben an Bord reibungslos in Gang halten und, so darf man hinzufügen, auch dem Weiterziehen des Schiffes dienlich sind, ihren begrenzten verbindlichen Sinn. Mit anderen Worten: Man muß dem Nihilismus geben, was des Nihilismus ist, und der Moral, was der Moral ist.

Die instruktivste Selbstauslegung gibt schließlich das ›Tagebuch aus Hiroshima und Nagasaki‹.[181] Ein französischer Nihilist, ehemaliger Angehöriger der Résistance, legt dort Anders bei seinem Versuch, einen Moralkodex des Atomzeitalters zu etablieren, eben die Fragen vor, die der »Ketzer« Anders später selber stellt: Von was er die Verbindlichkeit seiner Forderungen ableiten wolle; auf Grund von was er den Fortbestand der Menschheit und der Welt für erforderlich halte; warum Leben heilig sei; warum wir sein *sollten* und warum Sollen sein solle. Ein auf die nihilistischen Teufelsfüße gestellter »Weltgeist« fügt die nur noch rhetorische Seinsfrage hinzu: »Warum Seiendes überhaupt *sein* soll und nicht vielmehr nicht«. Und falls der Leser wie der

Dialogpartner daraufhin die Erwartung gehabt haben sollte, Anders werde sich als Überwinder des Nihilismus profilieren, hätte er sich getäuscht. Ganz im Gegenteil erkennt Anders die Fragen als *philosophische* ausdrücklich an. Wir sind *»kosmisch entbehrlich.* (...) *Es geht auch ohne uns.«* Schon gar nicht sind wir gesollt.

Zu der annihilistischen Konsequenz kann er sich allerdings noch viel weniger verstehen. Das tut nur der Nihilist als der – so die salopp formulierte Pointe – »schiefgewickelte Moralist von heute«. Er nämlich will nur handeln, wenn er Antworten und Gründe hat; und sonst will er – Nichts. So macht er als desillusionierter Idealist unter der Hand aus dem Unbegründeten, Ungeseiten, Ungesollten, Un-Sinnigen das Nicht-sein-Sollende, Sinnwidrige. Der Anti-Annihilist hingegen mit seiner für alle Letztbegründungsfanatiker unerhörten Behauptung, daß es »viel tiefere« als moralische Gründe gebe, war nie desillusionierbar. Und den Primat der Praxis vorm theoretischen Begründungswahn läßt er sich schon gar nicht ausreden. »Wenn es brennt«, so wieder der Feuerwehrmann, nicht der Pyromane Anders, »darf man nicht nach der Legitimität der Feuerwehr fragen.«[182] Sinn, gar Tief-Sinn, ist hier »falsch«, »unangemessen«, »unpraktisch«, »unmoralisch« (die Auswahl des Prädikats bleibt dem Gesprächspartner überlassen). »Metaphysische Askese« ist das Gebot der Stunde. So lautet die Devise zwar nicht: »credo«, aber doch »ago, quia absurdum« – »Wenn wir's nicht wissen (warum Mensch und Welt überhaupt sein sollen..., L. L.), was geht's uns an.«[183]

DIE PHILOSOPHEN UNTER DEN TIEREN. Mit diesem Resultat könnte man, dank der Limitierung des Nihilismus, der eigenwilligen Synthese eines letzthinnigen Amoralismus mit einer vorletztbegründeten Moral wenigstens halbwegs beruhigt, die Akten über den Kontingenzphilosophen Anders schließen. Aber man würde doch ganz gerne wissen, welches denn die »viel tieferen« als die moralischen Gründe sind. Auch bliebe das Zugeständnis, daß der dem Engagement nicht *hinderliche* kontingenzphilosophisch akzentuierte Nihilismus ihm gleichwohl nicht *förderlich* ist. Läge es unter diesen Umständen nicht nahe, doch wieder in den ›Positivismus‹ jener einzustimmen, die nichts lieber tun, als den

Nihilismus zu überwinden? Der »Ketzer« Anders ist aber nichts, das überwunden werden muß.

Die *»metaphysische Zivilcourage«*, an der sich Anders in seinem Selbstverständnis als Denker mit Vorliebe orientiert[184], steht generell für die eingangs zitierte Verbindung von Philosophie und Mut, wie Schopenhauer sie hergestellt hat, besonders aber für die Bereitschaft, sich aus allen anthropo- und theozentrischen, allen ontologischen und allen logotherapeutischen Geborgenheits- und Selbstverständlichkeitsillusionen zu lösen, kurz: für die kontingenzphilosophische »Ketzerei«. Freiheit und Freimut äußern sich so nachdrücklich in ihr, daß die »metaphysische Zivilcourage« zum Impuls der physischen wird.

Freiheit: Trotz der Selbstkritik an der Überbetonung der Freiheitsmomente in der Lehre von der Unfestgelegtheit des Menschen ist kontingenzphilosophisches Denken selber eine der Möglichkeiten, Unfestgelegtheit zu manifestieren. Wo die kontingente Welt hinweggedacht werden kann, macht der Mensch von seiner Fähigkeit zu Distanz und Negation radikalen Gebrauch.[185] Die »ontologische Differenz«, welchen eisigen Schatten auch immer sie auf den Garantie-Schein des Seins fallen lassen mag, ist auch Frucht der Freiheit.

Freimut: Kontingenzphilosophisches Denken riskiert es, bis hin zum »odium fati« auf Distanz zum Sein zu gehen, während auf der Gegenseite die Angst, die *»metaphysische Feigheit«* regiert.[186] Ohne Mittelpunktwahn ist sie nicht lebensfähig; sie kann es nicht ertragen, eine einsame, gottverlassene, randständige, fragile Existenz zu sein und keine höhere (oder auch tiefere) Bestimmung als Rückversicherung zu haben. Manifest oder latent theologisch motiviert, schaltet sie sich mit dem, was bloß kontingent ist, metaphysisch gleich. Sie ist zugleich dem Gott gehorsam und dem Seienden hörig. Ihre moralistischen Fehlschlüsse identifizieren es mit dem Gesollten, wie sie überhaupt immer nur nach dem Sollen, nie nach dem Wollen fragt. In säkularisierten Formen mag das dann die *»normative Kraft des Faktischen«* heißen, gegebenenfalls unter Einschluß der Faktizität der Barbarei[187]; bei etwas höherem philosophischen Anspruch »amor fati« – eine »würdelose Floskel«, die *»sich männlich gerierende Version von Demut«*[188], mit der selbst ein so wenig der Jasagerei verdächtiger Geist wie Nietzsche metaphysische

Servilität – über Anders hinaus darf man ruhig hinzufügen: metaphysische Sklavenmoral – praktiziert. Auf dem Boden der schönen neuen Welt kann sich der obligate Konformismus ohnehin nichts anderes als das gerade Seiende und schon gar nicht Nichts vorstellen.[189] Sein ›Positivismus‹ diffamiert allemal, was nicht akkordiert mit dem, was ist. Hier liegt ein weiterer Berührungspunkt zwischen der Horkheimerschen bzw. Adornoschen und der Andersschen Identitätskritik, an deren Anfang programmatisch der ›Essai sur la non-identification‹ steht.

Ja, mit einer überraschenden Querverbindung zu der von Anders sonst (bis auf den *Blick vom Mond*) zunehmend perhorreszierten Philosophie Ernst Blochs wird die Kontingenzphilosophie zu einer des aufrechten Ganges. Schon früh, in seinen New Yorker Tagebüchern von 1949, dann in den *Ketzereien*, hat Anders den aufrechten Gang als Nonkonformismus gedeutet, wobei er ihn freilich nicht bloß der menschlichen Gattung reserviert.[190] Leben insgesamt, bereits pflanzliches, gilt ihm als »*die* große Weigerung«, weil es der Schwerkraft nicht nachgibt. »Der von Bloch so gepriesene ›aufrechte Gang‹ ist nur eine späte Wiederholung dieses Sichaufrichtens, das das Leben als solches definiert.« Gleichwohl emanzipiert sich menschliches Leben mit ihm noch entschiedener. Wie er in der Liebe den Gebrauch der Hände, Nähe und Distanz ermöglicht, so bedeutet er mit der »Befreiung vom Erdboden« auch die »*Befreiung für alles mögliche*; für alles und für mögliches«; also die »Pantomanie« und die Erkundung der Kontingenz. Und ein Denken, das überhaupt nicht mehr nach den Gesetzen der Trägheit zum Seienden hin gravitiert, ist seine philosophische Betätigung par excellence: Kontingenzphilosophie als Anti-Gravitation.

Hier liegt einer der Restbestände des einstigen anthropologischen Privilegs, dem dann doch auch bei Anders noch so etwas wie ein »amor fati« gilt: »Daß es unter anderen Lebewesen den Kontingenzschock *nicht* gibt«; daß allein die Menschen von der Kontingenz erschreckt, verblüfft oder auch entzückt sind, qualifiziert sie zu den »›*Philosophen unter den Tieren*‹«.[191] Allerdings gehört es zur Konsequenz des Anderschen Denkens, daß auch dieses Privileg die Kontingenz der menschlichen Gattung nicht bricht: Das kontingenzphilosophische Monopol bleibt selber kontingent.

EIGENTLICHE UND UNEIGENTLICHE WIRTSCHAFTS-ONTOLOGIE. Die Sklavenmoral, die Anders als einen Hauptantrieb der Kontingenzverweigerung decouvriert, prägt auch die Sinnproduktion. Sinn zu haben, scheint eine Auszeichnung zu sein, scheint wenigstens Existenzberechtigung zu gewähren und vor der ontologischen Zwangseinweisung in die Logotherapie zu bewahren. Sinnloses Leben – ist es nicht wertlos? Näher besehen, verhält es sich indessen genau umgekehrt. Denn insofern »Sinn haben« immer heißt: »Sinn für etwas haben«, *»heteronom sein*, Mittel für einen Zweck sein, unfrei sein«, läuft die Sinnsuche re vera auf eine Entwertung, auf eine *»Suche nach Dienstbarkeit«* hinaus.[192] Das sinn-lose (nicht: sinn-widrige) Kontingente hingegen ist vor den Paradoxien solcher Hochschätzung bewahrt: Es ist autonom, mittellos, zweck-frei. Den paradigmatischen philosophiehistorischen Beleg für diese Position entdeckt Anders bei den »vernünftigen Griechen«, in der aristotelischen Entelechie-Lehre, wobei er die – in sich ja durchaus teleologische – »entelecheia« als »Nicht für etwas Dasein« charakterisiert.[193]

Komplementär zur »Suche nach Dienstbarkeit« verfällt die theo-, geo-, ego- und besonders die anthropozentrische *Indienstnahme* dem kontingenzphilosophischen Verdikt. Sei es nun die vermeinte Gottebenbildlichkeit, ein menschliches »Sinn-Monopol«, die »Mission« des Menschen, seine ausgezeichnete Stellung im Kosmos, seine besondere Eignung für das propere Studium seiner selbst (und was gäbe es Interessanteres!): das alles ist unmenschlich, wenn nicht gar zugunsten des *»›auserwählten Volkes‹«* humani generis »rassistisch«, weil »gnadenlos« gegen alles Nichtmenschliche.[194] Findet sich der Mensch hingegen zusammen mit Flundern, Brennesseln, Mücken, Quallen, Walfischen... »sub specie contingentiae« wieder, dann findet er sich auch leichter mit ihnen zusammen. Kontingenzverwandtschaft ist eine Möglichkeit, Gleichheit, am Ende vielleicht sogar Geschwisterlichkeit statt des »bellum omnium contra omnes« zu stiften (ohne daß man deshalb hier gleich eine kontingenzphilosophische Variante der ökologischen Ethik ausschreien müßte).

In der Auseinandersetzung mit Heideggers Formel vom Menschen als »Hirten des Seins«[195] hat Anders seine Kritik an der anthropozentrischen Form der Kontingenzverweigerung auf provokante und witzige Weise bekräftigt. Auf den ersten Blick gibt sich die Formel gleichermaßen human wie naturnah: Wie schön, wie freundlich, wenn das Sein neben seinem sprachlichen »Haus« auch einen »Hirten« hat, der ihm hilft, seinen Stall und seine Stelle zu finden; der es »einhaust«, der es be-stallt, be-stellt.[196] Doch der kryptotheologische Seinshirte zeigt noch, aus welcher Tradition er stammt. Denn als Hirte ist er eben Zentrum der Herde und »selbst kein Schaf«. Zwar behauptet Heidegger nichts weniger, als daß die Welt für den Menschen da sei – im Gegenteil: Dem Menschen wird als *»kosmischen Altruisten«* eine höchst fürsorgliche, höchst anspruchsvolle, eben hirten-, nicht schafsmäßige Aufgabe zugemutet. Kultiviert wird, analog zu Heideggers »verschämtem Atheismus«, ein neuer, *»verschämter Anthropozentrismus«*, der geradezu »lumpenhaft bescheiden« ist, insofern er Daseinsberechtigung allein nach Maßgabe der Hirtenqualifikation vergibt.[197] Aber auch darin steckt noch die alte Sonderrolle.

Im übrigen ist der »Hirt des Seins« nach Anders' Lesart nicht weit von dem »Schmied« entfernt, der dem Seienden auf seine Weise die nötigen Häuser und Ställe besorgt. Die Ge-Stelle dieses Schmiedes gehorchen nur noch deutlicher den Axiomen der herrschenden *»Wirtschafts-Ontologie«*, denen sich die verschämte Anthropozentrik des Hirten entgegenzustellen glaubt.

Das zweite Axiom dieser »Wirtschafts-Ontologie« etwa lautet: *»Unverwertbares ist nicht; oder nicht wert zu sein.«*[198] Als kontingent-unfertige ist die Welt nicht gerechtfertigt. Die chaotische, unverwertete, unbearbeitete Welt muß also aus dem Stande der Uneigentlichkeit zu höherer ontologischer Dignität im Kosmos der Fertigwaren befördert werden. Wo das nicht gelingt wie bei der »metaphysischen Herumfaulenzerei« ganzer Milchstraßensysteme, da bricht der *»Weltschmerz des Industriezeitalters«* – und er allein ist es, der als wahrer Welt-Schmerz zählt – in die Klage über die kosmische Sinnlosigkeit, über soviel »kosmische Geschäftsinkompetenz« aus.

Entkleidet man die »Wirtschafts-Ontologie« ihrer höheren philosophischen Weihen, die sie nur dank der Nobilitierung durch Heideggers Hirten-Anthropologie und seine Analytik der Seins-Häuser und

(Ge-)St(e)älle gewinnt, dann kann man in ihr die Kreuzung eines sozusagen *»unverschämten Anthropozentrismus«* mit den Intentionen eines *»Managements«* entdecken, das nichts weniger als ein *»kosmisches«* ist[199] – auch wenn der Technikkritiker Anders zumeist alle systemkritischen Implikationen meidet. Im »Universum der Mittel« regiert jedenfalls die krude, nur allzu bekannte Verwertungslogik des »homo faber et oeconomicus«. Die alte idealistische Gleichung Berkeleys »esse = percipi« ist durch einen Idealismus neuen Typs ersetzt: »esse = haberi«; »an sich«, kontingent-unfertig, gilt nichts; »nur Genommenes *ist*«.[200] Das kontingenzbewältigende Fertig-Machen der Welt erhält seinen objektiv zynischen Doppelsinn, bis hin zu der bösen Pointe, daß auch das angebliche Worum-Willen, gerade es, das vermeintliche Ziel, fertiggemacht wird. Das Glück zum Beispiel »hat keinen ›Wert‹, weil es ›für nichts‹ Wert hat; der Zweck keinen ›Wert‹, weil er kein Mittel ist; das Ziel keinen ›Wert‹, weil es kein Weg ist und keine Bewegung. (...) *Ziele sind hier unmöglich, weil sie die Mittel sabotieren würden.*«[201] Diese »Wirtschafts-Ontologie« negiert also das Zweckfreie, wie sie das Verwertbare als Verwertbares nur bedingt hochschätzt und zugleich degradiert.

Wer aber aus dem »ungeheuren System der Mittel«[202] für einen Moment herausfällt, der erfährt den Kairos der Kontingenz: »des von keiner Intentionalität getrübten und von keinem Inhalt verdeckten Daseins«, des reinen, nichts als daseienden Existierens.[203] Kontingenzbewußtsein, das dem Seienden so übel mitzuspielen scheint, läßt das »nichts als Daseiende« gelten, während die Kontingenzverweigerung es wie Nichtseiendes behandelt und tendenziell annihiliert. Kontingentes kann sein, muß nicht sein, und darf es selber bleiben. Ökonomisch-philosophische Kontingenzbewältigungspraxis hingegen arbeitet der Euthanasie der Menschen und Dinge zu. Das ist die Anderssche, die kontingenzphilosophische Form der Kritik der »instrumentellen Vernunft«.

NIHILISMUS DER WERTE. Die »sub specie contingentiae« entfaltete Dialektik der Werte wiederum ist insgesamt charakteristisch für die Inversion, die das Verhältnis von praktischem und theoretischem Nihilismus bei Anders erfährt.

Vor allem die US-amerikanische Erfahrung hat Anders in dieser

Hinsicht sensibilisiert. Ob ein Truman nach Hiroshima aus dem Fehlen auch nur der mindesten Gewissensbisse, seiner »moralischen Analgie«[204], Gewissenskapital schlägt oder ob ein anderer amerikanischer Präsident nach einer Konferenz über Interkontinentalraketen kniend betet: Die Bereitschaft zur Herstellung und zum Gebrauch von Massenvernichtungsmitteln steigt offenbar proportional der unverschämten Frömmelei und Wertefreude, während Atheismus, Scham und Gewissensnihilismus zu den »sichersten oder einzigen Kriterien von Friedensliebe« avancieren.[205]

Wohl ließe sich die Frage an Anders stellen, wie denn der subjektive Faktor überhaupt eine Rolle spielen könne, wenn schon die Bombe als solche »Nihilismus in Aktion« sei. Aber sichtlich besteht zwischen kaltem und heißem Nihilismus doch noch eine gewisse Diskrepanz, die die Nihilismus-Überwinder – »privat harmlos«, »›positiv‹ bis in die Knochen«, von einer zu jedem Zynismus unfähigen Bonhommie[206] – schneller und besser als alle anderen zu überwinden versprechen. »›Die Götter der Pest‹, heißt es im Molussischen, ›sind friedliche Herren und selbst nicht pestkrank‹.«[207] Theoretischer Antinihilismus und praktischer Annihilismus gehen bei ihnen miteinander einher.[208] Indem sie die Werte dem Sein vorordnen und besonders gerne da einen Wert wittern, wo sie eine Katastrophe sehen (»lieber tot als rot« etc.), bekräftigen sie die Einsicht Nietzsches, daß wir dort Katastrophen zu fürchten haben, wo wir Werte sehen. Seine epochale Einsicht in den Nihilismus der Werte wird von Anders, ohne daß er das explizit formulierte, auf den aktuellen Stand des Atomzeitalters gebracht. Im gleißenden Licht der Feuerbälle von Hiroshima und Nagasaki, die statt verklärter Leiber nur noch eingebrannte Schatten übriglassen, ist die Zeit der Kreuzzügler vorbei. Eine Art von metaphysischer Entspannungspolitik löst im Reich der Kontingenz den festgefahrenen Grabenkrieg zwischen dem Reich des Guten und dem des Bösen ab.

LOB DER KONTINGENZ. Es wäre aber noch nicht recht zu sehen, warum denn dem Seienden eine spezifischere Anhänglichkeit entgegenzubringen wäre, wenn es nicht »sub specie contingentiae« selber so etwas wie eine »Appellstruktur« gewänne.

Diese resultiert zunächst aus seiner Fragilität, und zwar auf allen Ebenen, die der »Kontingenzschock« erfaßt. Eben der »stupor ininterruptus«, der das Kontingente seiner Selbstverständlichkeit, seiner metaphysischen und moralischen Rückversicherung beraubt, entbindet auch das Bewußtsein dieser Fragilität.

Das Individuum, das sein könnte oder auch nicht; das gerade dieses kontingente Ich in gerade dieser kontingenten Welt ist; das jeder Allgemeingültigkeit und Notwendigkeit entbehrt, ist zugleich das Unersetzliche, für das es keine Stellvertretung gibt. Im Gegensatz zum ersten Axiom der »Wirtschafts-Ontologie« (»Das nur Einmalige *ist* nicht«)[209], die den Kontingenzschock des Individuellen durch Serienproduktion zu bewältigen versucht, ist allein ein »dieser« unverzichtbar. *»Gerade weil der Mensch, sein ›Wert‹* und seine Funktion *einmalig und imponderabil ist, bleibt sein Verlust unbestimmt«*[210], undefinierbar, unbegrenzt. Der nordkoreanische Junge, den die »symbolischen Kontingente« der UNO im Korea-Krieg töten, wird zum Symbol unersetzlicher Kontingenz[211], weil er und kein anderer wirklich und endgültig stirbt. Gerade, daß er nirgendwo »aufgehoben« ist, treibt den Skandal dieses Endes heraus. Bei aller Distanz in Sachen Ontologie und Ethik drückt Hans Jonas diese Appellstruktur nicht anders aus: *»Dieses* (Kind, L. L.) aber in seiner absoluten kontingenten Einzigkeit ist es, dem jetzt die Verantwortung gilt.«[212]

Wenn aber, unberührt vom ersten, individuellen Tod, die Gattung fortzubestehen scheint, dann garantiert ihr der zweite, ganze Tod als insgesamt kontingenter, nicht anders als es bei Flundern, Quallen und Walfischen der Fall ist, ein noch größeres Bedrohungspotential. Ohnehin ist nicht zu sehen, warum etwas Zeitenthobenes »auf unsere Ehrfurcht größeren Anspruch erheben« dürfte »als Sterbliches«. (...) Warum sollte uns eine solche Unfähigkeit (zur Zeitlichkeit, L. L.) mit mehr Ehrfurcht erfüllen und auf unsere Lobpreisung größeren Anspruch haben als das sterbliche Lebendige?«[213] Die totale Gefährdung angesichts der neuen »Apokalypse ohne Reich« indessen resozialisiert die menschliche Gattung auf jeden Fall in eine Lebensgemeinschaft mit unbeschränkter Sterblichkeit. Anders' Rede von den *»metaphysischen Schnittblumen«*, die diese naturale Resozialisierung am deutlichsten ausspricht, ist so mit einem doppelten Akzent zu lesen: auf den »Blumen« und auf dem »Schnitt«. Das von Thomas Mann gesungene »Lob der Vergänglichkeit« wird bei Anders zum Lob einer totalisierten Vergänglichkeit. Und im Kampf gegen die negative Totalität der Bombendrohung kommt auch jene »Pantomanie« des frühen Anders wieder positiv zu Ehren, deren vermeintlichen Verrat ein philosophischer Studienfreund dem Hiroshima-Reisenden vorwirft[214]: Eine größere *»Versäumnispanik«* als die durch Hiroshima ausgelöste gibt es nicht.

Ja, wenn von der »transzendentalen Obdachlosigkeit« des jungen Georg Lukács bis zu Max Horkheimers metaphysik-kritischer Theorie eine ohne jenseitige Rückversicherungen denkende Philosophie diesem »Lob der Vergänglichkeit« ein »Lob der Verlassenheit« an die Seite gestellt hat[215], so spitzt Anders auch das zu: zu einem Lob der Verlorenheit. Wie die Menschen hoffnungslos sterblich sind, so sind sie auch hoffnungslos allein. Nichts gibt ihnen Sinn. Niemand sagt ihnen, daß sie gesollt wären. Sie leben ohne metaphysisches Netz. Nichts und niemand fängt sie auf – außer sie sich selber. So ermöglicht der »Blick vom Mond«, der die ephemere und exzentrische irdische Bagatelle unwiderruflich als solche erkennt, zugleich die *»Selbstbegegnung der Erde«*[216]: die mit einer sich selber überantworteten kosmischen Singularität. Die Erde wie die Flundern, die Quallen, die Walfische, die Schnittblumen – sie alle provozieren gerade als kontingente Rarissima, denen niemand beisteht und die nichts ersetzt, den Schutz der Raritätenfreunde im ontologischen Naturschutzpark, besser: im Bannwald der Arten. Hans Jonas formuliert das wiederum nicht unähnlich: Der »in seiner Faktizität ganz kontingente Gegenstand, wahrgenommen gerade *in* seiner Vergänglichkeit, Bedürftigkeit und Unsicherheit«, soll »die Kraft haben, mich (...) zu einer Verfügungstellung meiner Person, frei von jedem Aneignungsbegehren, zu bewegen«[217]. Jonas spricht von einer »Heuristik der Furcht«. Was Anders, vor Jonas und zweifellos erheblich radikaler als er, entwickelt, ist eine Heuristik der Sinn- und der Gottverlassenheit.

Polar zu Freuds Kränkungstheorie mündet so die Kontingenzphilosophie bei Anders in ein Lob der kosmologischen, der naturalen, der moralischen und der gleichsam alogotherapeutischen Kontingenz. Anders' großartige Deutung von Becketts *Warten auf Godot* hat dafür einprägsame Formeln gefunden[218]: Auf dem »trostlos dürren Grunde der Sinnlosigkeit« sprießt die »Komplizenhaftigkeit der Traurigen«. Gerade die finale *»ontologische Farce«* wird zum »Refugium der Menschenliebe«. »Wärme ist wichtiger als Sinn.« Man darf zuspitzen: Wärme entspringt dem unwiderruflich verlorenen Sinn. Kurz: So, wie die »metaphysische Zivilcourage« physische entbindet, so macht das Ende der *meta*-physischen Seins-, Sollens- und Sinngarantien *physische* Solidarität frei.

Den kontingenten Rarissima im ontologischen Bannwald der Arten sind indessen neben ihrer Fragilität auch Qualitäten zu eigen, die das kontingenzphilosophische Staunen in das Bestaunen, die Verwunderung in die Bewunderung hinüberoszillieren lassen: Gerade das Unselbstverständliche ist das Staunenswerte. Ein Text aus den *Philosophischen Stenogrammen*, der die »Chance der Frühe«, der Tagesfrühe, aber auch der ontologischen Frühe der Vorurteilslosigkeit umschreibt, zeigt diesen Übergang des philosophischen Staunens in die Bewunderung:

»Für eine Stunde hat der Gott der Leere dein Auge angerührt und einen Teil seiner Kraft an dich abgegeben. Für eine Stunde dich befähigt, den Tag zu sehen mit den Augen der Nacht: nichts ›for granted‹ zu halten; jedem Ding das ihm gebührende Staunen entgegenzubringen; und jenes Unwahrscheinliche, das sich venedighaft aufbaut aus der Spiegelglätte des Nichts, und das sich ›Welt‹ nennt, mit scharfem Stifte nachzuzeichnen. Tue es sofort. Ein paar Minuten zu spät, und die Kuppeln und Türme werden vom Dunste der Lagune verschluckt sein.«[219]

Auf dem dunklen Hintergrund der Nacht, inspiriert vom Gott der Leere, getrieben von der Drohung des »zu spät«, entdeckt das Auge kosmische Lichtspiele, deren unwahrscheinlicher Schein in jedem Sinn festgehalten zu werden verdient.

Selbst religiöse Anklänge, die der Hermeneutiker-Zunft der Wiedertäufer das nötige Material für ihre Reinterpretationen liefern könnten, scheut der »Ketzer« Anders in diesem Seinsgefühl nicht. Ja, als ob der sonst meist hohnvoll glossierte Theodizee-Experte Leibniz aus ihm spräche, feiert er gelegentlich die Welt, diese erstaunliche, »ingeniöse und unvergleichliche Erfindung« (auch wenn der Erfinder wohl ein »génie malice« gewesen ist)[220], »beinahe als die ›beste aller Welten‹, sofern sie nur bleibt«[221]. Und sogar das so hart kritisierte anthropologische Privileg lebt hier wieder auf, begleitet von Gefühlen adressatenloser Dankbarkeit. Wo man unerhörterweise zum »Abenteuer des Daseins« zugelassen ist, da darf man sich nicht wie ein »langjähriger Welt-Abonnent« benehmen.[222] Der »Kontingenzschock« weicht der Freude über das »große Los«, »›man selbst‹« zu sein und das einzige Mal, das man da ist, eben als Mensch dazusein.[223]

So lautet die »summa philosophiae« des »Ketzers«: In die Welt, »gewissermaßen ohne Eintrittskarte, eingelassen zu werden, (war) eine höchst verblüffende, unvorhersehbare, unverdiente, unverdienbare Erfahrung. Eine, die zu machen nur den Allerwenigsten vergönnt ist. (...) Dasein ist quite an adventure gewesen.«[224] Das amerikanisierende Understatement und der metaphysische Witz über die »Allerwenigsten« können und sollen das gerührte Kontingenzentzücken des alten Anders nicht verleugnen. Sie suchen zu guter Letzt nur noch auch jene von tierischem Ernst wie von inhumanem Zynismus gleichweit entfernte Kontingenzkomik bewußt miteinzubeziehen[225], der der nicht durch den Kontingenzschock gegangene Philosoph mit seinen anthropozentrischen oder sonstigen Prätentionen unfreiwillig erliegt. Recht besehen, ist nur *der* Philosoph, der die Komik dieser Prätentionen »jeden Augenblick spürt. Ohne Sinn für Komik ist niemand des Namens ›Philosoph‹ würdig.«[226] Der »tierisch-ernste« Heidegger etwa ist aus dieser Perspektive kein Philosoph. Seine besondere Praxis der Seinsvergessenheit ist vielmehr seine fundamentalontologische Humorvergessenheit. Humoristisch hätte er wie schon Leibniz und Schelling über die schwer bestreitbare und zugleich höchst verblüffende Tatsache schreiben müssen, »daß es etwas gebe ›und nicht vielmehr nichts‹«. Denn *»komisch ist alles, was, ohne katastrophal zu sein, ist«:* die Existenz der Welt als *»das unüberbietbare happening«*[227].

KONTINGENZEROTIK. Wenn sich aber die Wärme, die aus dem Bewußtsein der Fragilität entspringt, Kontingenzentzücken, das die Rührung gar nicht verbergen will, und Kontingenzkomik, die sich aus dem verblüffenden ontologischen happening nährt, miteinander verbinden, dann ist es für die Philosophie Zeit, den Weg in die Literatur zu nehmen. Sie markiert den Punkt, an dem die Ontologie im Leeren endet, aber mitsamt der unbegründbaren Ethik in Erotik, in Kontingenzerotik übergeht. Bleibt für die Metaphysik das kontingente Individuelle das Ineffabile, so wird es für sie zum Narrabile et Amabile. Ist es nicht gesollt, so wird es doch gewollt. Was man nicht begründen kann, davon muß man erzählen. Anders' *Kosmologische Humoreske* und seine Gutenachtgeschichte *Mariechen* zeigen das eindrucksvoll. Beide Texte vereinen nahezu alle Aspekte der Kontingenzphilosophie, ohne auch nur im geringsten in dürre Lehrdichtung abzugleiten. Ontologisch nicht blind, sind beide erotisch sehend.

EINE KOSMOLOGISCHE HUMORESKE. Die Schöpfungs- und Vernichtungsgeschichte, die sich in der *Kosmologischen Humoreske* zwischen Frau Nu, der uralten Göttin der Leere und des Nichts, und dem grundlos herumexistierenden Seinsgott Bamba sowie den diversen kontingenten Bambini beider entspinnt, kann man nach Anders' Auskunft als späten Nachklang der Begegnung mit Heideggers Seinsfrage lesen – wenn man mit Anders sofort hinzusetzt, daß beides, die Erzählung und diese Begegnung, für ihn nur Intermezzi in der Geschichte eines lebenslangen kontingenzphilosophischen Staunens gewesen sind.[228]

Nicht erreicht vom philosophischen Stupor wird freilich die Geschlechterrollenverteilung. Daß die Leere und das Nichts weiblich seien, das Sein hingegen männlich, resultiert wohl noch aus den Patriarchogenesen der metaphysischen Tradition.

»For granted« wird auch der von der *Kosmologischen Humoreske* gewählte Ausgangspunkt: die Apriorität des Nichts genommen, obwohl Anders diese später ausdrücklich in Frage stellt[229] und in einem Kontrastentwurf der *Ketzereien* einen eleatischen Gott als Prämisse phantasiert, für den es nichts Nichtseiendes gibt, dessen Credo vielmehr lautet: »›Das Seiende ist.‹«[230] Die christliche Ontologie regiert in der Erzählung unterdessen noch mit ihren beiden Lieblingsgrundsätzen: der »creatio ex nihilo« und dem »ex nihilo nihil fit«. Angesichts der ins Haus des Seins stehenden »reductio ad nihil«, so darf man vermuten, ist diese Ontologie auch plausibler, einfach zeitgemäßer, als es eleatische Seinsgarantien und Bestandsphantasien sein könnten. Anders' »schwarze Ontologie«, die »Apokalypse ohne Reich« im Prospekt, hat die Welt des Parmenides endgültig verlassen. Zu fragen nur, wie sich die »creatio ex nihilo« mit dem »ex nihilo nihil fit« als christlicher Version des Satzes vom zureichenden Grunde verträgt – es sei denn, man rekurrierte von vornherein auf jene Glaubenscreation ex nihilo, die das »credo quia absurdum« formuliert.

Wie es den Gott Bamba als »ontologischen Parvenu«[231] ins Sein verschlagen hat, das bleibt unter diesen Umständen naturgemäß ungeklärt. Genug, er ist nun einmal da; und daseiend verfällt er jener Reaktion des primordialen Nichts, die dem »zufälligen«, »regelwidrigen«, abnormalen, nicht selbstverständlichen Sein allein angemessen ist: dem Gelächter.[232] Frau Nu müßte es eigentlich nicht anders ergehen; denn daß das Nichts in der ontologischen Humoreske höchst realistisch, wiewohl nihilistisch *ist*, das macht sie ja, analog zu Kants »Nichts« als »ens rationis«, zu einem nicht weniger komischen »ens fictionis«. Indessen ist für die Humoreske das Sein der komische Gegenstand par excellence: Humoristisch, wie Heidegger, Leibniz, Schelling über die Seinsfrage hätten schreiben sollen, schreibt Anders über sie, fröhlich nach den Prinzipien »Fröhlicher Wissenschaft«; denn, noch einmal: *»komisch ist alles, was, ohne katastrophal zu sein, ist«*.

Was sich dann zwischen Frau Nu und Gott Bamba entspinnt, ist nichts Geringeres als ein metaphysischer Liebesroman. Zunächst vergeht Frau Nu das kontingenzphilosophische Gelächter. Sie wird zur wieder wesensgemäß annihilistisch gestimmten Scheuerfrau, auf der Kammerjagd nach allen nur möglichen Seinskeimen. Gott Bamba seinerseits versucht sich als Künstlergott in bloß symbolischen Kreationen. Doch da weder der Scheuer-Nihilismus noch der Kunstsymbolismus auf die Dauer hinreichen, wird Frau Nu kurzfristig ein schönes, bambaphiles, ontophiles Mädchen; den göttlichen Sänger treibt es ohnehin so sehr zu Realerem an, daß beide sich in kosmogonischem Eros vereinen.

Das alles ist zu schön und zu witzig, um es im Detail nachzuerzählen: Man muß es lesen! In kontingenzphilosophischer Hinsicht festzuhalten

sind nur die konträren Reaktionen, die das der ontologischen Liebesnacht Entspringende von seinem metaphysischen Elternpaar erfährt und der eigenen Existenz entgegenbringt. Kaum daseiend, unterliegen die kontingenten creata dem »ontologischen Vorurteil«, immer schon dagewesen zu sein und gar nicht anders als sein zu können.[233] Welche Illusion – eigentlich aus der Sicht beider Eltern. Denn obwohl auch Gott Bamba diesem Vorurteil unterliegt, haben beide mit der Zeugung von vereinzelten und sterblichen creata von vornherein etwas intendiert, was sowohl den nihilistischen Wünschen von Frau Nu wie den ontologischen Seins- und zugleich den narzißtischen Unterscheidungswünschen des creators vom creatum Rechnung tragen sollte. Mit anderen Worten: Das kontingente Seiende ist Resultat eines Kompromisses zwischen Sein und Nichts, aber eines tendenziell nichtslastigen Kompromisses. Frau Nu hat allein ein nichtiges Sein konzediert; und auch Gott Bamba ging es ursprünglich um einen minderen Seinsgrad.
Sobald das Seiende aber einmal da ist, zeigt der Kompromiß – post coitum ist auch in einer ontologischen Liebesgeschichte fast alles triste –, daß er keine Versöhnung ist. Frau Nu, die nur für einen kurzen erotischen Moment vergessen hat, daß sie das alte und einzig Wahre ist, weist das Empirische, alles Empirische, sei es nun Gott Bamba oder die gemeinsamen creata, hart in die Grenzen seiner Kontingenz zurück:

»(...) ein für alle Male, und nun zum letzten Male: Apriorisch bin *ich* allein. Jawohl, ich, das Nichts! Und sonst nichts. Jedes andere Apriori ist dummes Zeug. Jedes andere Prinzip Unsinn. (...) Denn was von allem Einzelnen gilt, das gilt natürlich auch von der Welt als ganzer! Und was von der Welt als ganzer gilt, das gilt natürlich auch von deren Sein! Und was von deren Sein überhaupt gilt, das gilt von Ihnen natürlich dito! Kontingent! Kontingent seid Ihr alle miteinander, kontingent durch die Bank und a posteriori, und keines ist besser als das andere!«[234]

Für Gott Bamba hingegen, der bei aller Kunst nahezu sprachlos das Schauspiel »Welt« post creationem anstaunt, wird das bloß Empirische zum (obsessiv wiederholten, im Druck gesperrt erscheinenden) *»Süß-Empirischen«*.[235] Aristoteles' Formel, daß das Leben »etwas Süßes« sei, klingt hier bei Anders an. Von der Zufälligkeit seiner Lieblinge ganz besonders gerührt, beugt Bamba sich väterlich-fürsorglich über das »arme X-Beliebige«.[236]

Der Liebesodem, den er dem »Süß-Empirischen« dann gegen seine Nichtigkeit und Todverfallenheit einzublasen versucht (es handelt sich um wunderbare Wölkchen, die ontologisch in der Tat sehr luftig aus Sein und Nichts komponiert erscheinen), kann diesen freilich nicht auf Dauer helfen. Morituri von Anfang an, werden sie vielmehr den Weg aller Wolken gehen und Frau Nu zu den gewünschten annihilistischen Triumphen verhelfen, während Bamba trotz seines anfänglichen Interesses an der Begrenzung des Seienden das Sterben nicht einmal richtig verstehen kann. Seiendes versteht sich nur auf das Sein. Seiendes ist seinsaffirmativ.

Immerhin geht das »Spiel« für die beiden Spieler – nicht die einzelnen kontingenten Spielmarken – noch weiter. Gemäß dem offenen Schluß der *Kosmologischen Humoreske*, der von dramatischen fundamentalontologischen Erschütterungen absieht, bleibt die Perspektive auf das »arme X-Beliebige« beschränkt. Das ist vielleicht der einzige schwache Punkt dieses insgesamt so bemerkenswerten Textes. Daß Frau Nu und Gott Bamba »auch heute noch spielen«, so das halb märchenhafte »open end«, »das ist über allen Zweifeln erhaben. Denn auch heute gilt, daß in jedem Augenblick eines (der Wölkchen, L. L.) vertrauensvoll auf seine (Bambas, L. L.) Hand flattert, um winzig seine Stimme zu erheben«[237] – ohne daß ihm das letzten Endes helfen könnte.

Das »Süß-Empirische« wird also das Geschick alles Kontingenten teilen, für eine kurze Zeit sein zu können und für eine unendliche nicht. Für den begrenzten Moment aber, den es ist, geht der Appell des Fragilen von ihm aus; und es wird ihm eine Zuwendung entgegengebracht, die gerade seiner »armen X-Beliebigkeit« gilt. Kurz: Für das primordiale und finale Nichts wird das nur begrenzt Seiende und unbestreitbar Nichtige zur Provokation des Annihilismus, während die kontingenzphilosophische Empathie den fürsorglichen Antinihilismus inspiriert.

EINE GUTENACHTGESCHICHTE. Von solcher Inspiration weiß das Versepos *Mariechen* nicht weniger witzig, aber womöglich noch nachhaltiger zu sprechen. Die Tradition der – wieder höchst lebendigen – philosophischen Lehrdichtung verbindet sich mit der der erotischen Idylle zu einer von wunderbarem Humor durchwärmten »Gutenachtgeschichte«, die schlüssigerweise an ein gemischtes Publikum von »Liebenden, Philosophen und Angehörigen anderer Berufsgruppen« adressiert ist.

Auch hier geht es um eine Paargeschichte. Offenbar ist es ein berufsmäßiger Ontologe mit gelegentlicher Neigung zu männlicher Schulmeisterei, der da mit der Freundin seines Herzens und Leibes löffelgleich im Bett liegt und ihr, dem kleinen Mariechen, die Geschichte vom großen, der Walfischin Mariechen erzählt.

Dieses schwimmt einsam, nur einmal von einem wahlverwandtschaftlichen Walfisch namens Eduard heimgesucht und einen Eduard junior gebärend, ziellos, ortlos und hoffnungslos kontingent durch die Beringsee. Der Kontrast zwischen heimeliger erotischer Idylle und eisiger Weltfremdheit strukturiert die Geschichte.

Immerhin fehlt es nicht an Gemeinsamkeiten. Mit dem Menschen scheint das große Mariechen vor allem ein kapitales Rätsel gemein zu haben: Irgendwann hat es, obwohl es eigentlich als Säugetier nicht für ewig auf die ozeanische Existenz festgelegt war, den Anschluß an die Evolution, die »höh're Kosmosklasse« verpaßt.[238] So dümpelt es nun altertümlich, um nicht zu sagen antiquiert, im falschen Elemente vor sich hin.

Nichtsdestoweniger profitiert das große Mariechen von dem »Zufall, daß wir alle/ (incl. Welt, Mariechen/ usw.) faktisch dasind,/ ausgerechnet jeder gerade/ als er selbst; und daß bei jedem/ dieser Zufall so beliebt ist«.[239] Das kann man natürlich auch kontingenzkritischer formulieren; denn wie für jede Individualität, welcher Art sie auch sei, zumal aber für Antiquiertes, gilt hier die Gleichung von *»Dasein«* und *»Versäumen«*.[240] Was ist, hat Wände, innerhalb deren es so »privatisiert«, daß alles andere mögliche Wesen ausgeschlossen ist. Sein ist Einzelsein, amputiert, »abgeschlagen« vom »Ganzen«. Und wer wie unser Ontologe an schwachen Tagen daran denkt, »schamlos alle/ theoretischen Prinzipien/ rein moralisch zu fundieren«, könnte versucht sein, die Misere des Lebens in solcher Individuationsschuld zu begründen.[241] Aber in seinen besseren Momenten ist er klüger beraten. Da läßt er Moral Moral sein. Da liebt er im Gegensatz zu jenen Fundamentalontologen, die noch in der Frageform ihrer Seinsfragen Antwortmöglichkeiten simulieren, die Schönheit der Aporien, die Probleme statt der Lösungen, die endlose Fragelust statt der »Barbarei der blanken Resultate«.[242]

So läßt er denn auch die Frage, wozu Mariechen da sei, antwort- und echolos offen.[243] Die zugehörige Theorie-Metapher in bezug auf die menschliche Gattung bietet ein schon zitierter Passus aus dem zweiten Band der *Antiquiertheit des Menschen*: Lauter »›Nichtgemeinte‹« treiben »ungesteuert durch den Ozean des Seienden«.[244] Selbst, wenn es gelänge, auf die Frage *»›Warum gibt's Mariechen?‹«* eine Antwort zu finden, würde sich die Frage spätestens beim »›Sinn des Ganzen‹« wieder iterieren.[245] Kurz: Man muß wie auf den Sinn Mariechens auf den von allem verzichten. Alles ist einfach nur da.

Gleiche Versäumnisdefekte und gemeinsame Sinnlosigkeit bei dem großen wie bei dem kleinen Mariechen hindern das Wiederaufleben einiger anthropologischer Privilegien freilich nicht. Die Möglichkeit spiegelnder, reflexiver Selbstbegegnung gehört dazu, die Chance, nicht nur »von sich fort«, sondern auch auf sich hinzuleben; dann die Fähigkeit zur Antizipation und vor allem der aufrechte Gang.[246] Nur handelt es sich bei all dem um ambivalente Phänomene. Der aufrechte Gang, die Befreiung der Hände etwa gestattet ebensowohl die Liebe, die sozusagen handgreifliche Bejahung, wie die Negation, insbesondere den Selbstmord; die Potenzierung der Potenz, die unperiodische Lust, die persönliche Zuwendung des Blicks ebenso wie für die spätromantischen »Liebestodler« vom Stamme der Wagnerianer die Kopulation von Tod und Wollust.[247] Und die Fähigkeit zur Antizipation erschließt das melancholische zweite Futurum des Predigers Salomo, das uns und selbst unsere Zukunft vor der Zeit ins Vergangene absinken läßt.[248]
Da ist es denn kein Wunder – an diesem Punkt, in Versen, von denen Anders einige in den Anhang seiner Gutenachtgeschichte verbannt hat, geht die erotische Lehrdichtung in die Polemik über[249] –, daß ein existenzialanalytischer »Sankt Martin« aus dem entschlossenen Vorlaufen ins »siebzehnte Futurum« und den täglich usurpierten Tod seinen »schroffen Heroismus« gewinnt. Statt an der kontingenten Zufallstafel

des Daseins ebenso entschlossen zuzugreifen, schmäht und verschmäht er sie undankbar als »Geworfenheit«. Wenn er nicht alles haben kann, dann will er lieber gleich nichts.

Mit diesem polemischen Porträt ist das Gegenbild kontingenzphilosophischer Zuwendung umrissen, die Opposition zwischen dem finster entschlossenen »Sankt Martin« und dem (sit venia verbo) aufgeschlossenen »Sankt Günther« fixiert. Der nämlich antwortet als Liebhaber seines Mariechens auf den Kontingenzschock ganz anders, ohne irgendeines seiner Charakteristika, weder die Individuation noch die Zufälligkeit noch die Sinnlosigkeit, zu dementieren. Wenn das Wort nicht zu schwer, zu pompös für diesen Text wäre: Hier wird die philosophisch-erotische Idylle zum kontingenzphilosophischen Manifest.

Der wahre Geworfenheitsphilosoph will nicht alles oder nichts, sondern er liebt etwas, und nötigenfalls hilft er »dem Nächsten« mit seinen kommunikativen oder wie auch immer gearteten Mitteln auf.[250] Dem individuierten, vom Ganzen »abgeschlagenen« Einzelnen begegnet er, *gerade weil* es das ist, »mit Verständnis und mit Liebe«.[251] Die Idylle läßt mit ihrem Leitbild des löffelgleichen Anliegens den platonischen Mythos vom dividierten Kugelmenschen, der in der Liebe wieder zusammenwächst, in erotisch-humoristischer Form wiederaufleben: löffelgleich – das heißt kein kreisrundes Ganzes, aber eine unmittelbare Nähe, und die wirklich. Daß am Schluß der »Gutenachtgeschichte« die vertrauten Auslassungspunkte der erotischen Literatur ihr Recht erhalten, geht folgerichtig über die platonische Philosophie hinaus, die nun einmal das Ankommen und die Vereinigung gerne ins Unendliche verschiebt. Es ist gleichsam die Vollendung der Löffel-Logik, das »sophische«, nicht nur »philo-sophische« Vereinigungsfest der Kontingenzen, »warm und liebend und gemütlich«[252], gerade weil sie vereinzelte sind.

Und diese nur scheinbar paradoxe Logik des »gerade weil« gilt auch in allem übrigen: Gerade weil den Menschen das schockierende zweite Futurum totaler Vergänglichkeit droht, »liegen sie freundlich noch beisammen«.[253]

Gerade wo der Sinn des Seienden im Bodenlosen verlorengeht, halten die Sinnlosen gegen die Präzipitation ihres abgründigen »Bodenrutsches« einander »solid noch im Arm«.[254]

Gerade weil die Antworten fehlen; gerade »wenn die Wahrheit uns im Stich läßt, / ist solch Näherrücken, wenn auch / objektive als Methode / nicht ganz einwandfrei und sachlich, / doch ein Trost und fast wie Antwort«[255]. Probleme kann man so nicht lösen, aber stillen.[256]

Die literarisch-spielerische Definition des abgegriffenen Wortes »Humor«, die das Versgedicht anhangsweise versucht, ist auf diesem Hintergrund überaus präzise: *»Humor:* d. h.: die Mischung / von Verblüffung und von Freude, Sinn-Verzicht und Herzenswärme, Nihilismus und Vergnügen.«[257] Dieser Humor, dessen Wärme wie schon für Anders' Beckett-Deutung wichtiger ist als Sinn, ist allein der »wirklich / amoureuse amor fati«, der den »geborenen Weisen« auszeichnet.[258] Stupor und Sympathie, theoretischer Nihilismus und praktischer Antinihilismus verbinden sich in ihm. Und die Kontingenzerotik spricht aus ihm. Das ist das nachhaltigste Lob der Verlorenheit, der Verlassenheit, das der eiskalten ontologischen Beringsee abgewonnene Lob der Kontingenz.

Ob das nach den Prinzipien des zureichenden Heilungsgrundes reicht, steht zwar dahin. Der die Polarzonen und dabei auch die Beringsee überfliegende Hiroshima-Reisende Anders ist zu ganz anderen Perspektiven gekommen, als sie für eine Gutenachtgeschichte taugen mögen.[259] Die Vernichtbarkeit des Nichtigen drängt sich ihm auf. Er überfliegt ein Leben, das für den Blick von oben nichts als ein »ontologischer Zwischenfall« ist. Doch wie der Idylliker der Nähe weiß er, daß dieser Blick, sei es der eines Bomber-Piloten, eines Gottes, eines Fundamentalontologen oder auch der der rückhaltlos Positiven, der metaphysisch Frommen und physisch Feigen im Lande, der theoretischen Anti-Nihilisten und praktischen Nihilisten, daß also dieser Blick von oben nicht der des Kontingenzerotikers ist.

Anhang

Anmerkungen

I. Mensch ohne Welt

1 *Die Antiquiertheit des Menschen*, Bd. I: *Über die Seele im Zeitalter der zweiten industriellen Revolution*, München 1956, S. 276ff. (im folgenden abgek. *AdM* mit Bandzahl).
2 Vgl.: *Günther Anders antwortet. Interviews und Erklärungen*, hrsg. von Elke Schubert mit einem einleitenden Essay von Hans-Martin Lohmann, Berlin 1987 (im folgenden abgek. *I*). – Günther Anders: *Gewalt. Ja oder Nein. Eine notwendige Diskussion*, hrsg. von Manfred Bissinger, München 1987.
3 Gabriele Althaus, *Leben zwischen Sein und Nichts. Drei Studien zu Günther Anders*, Berlin 1989.
4 Helmut Hildebrandt, *Weltzustand Technik. Ein Vergleich der Technikphilosophien von Günther Anders und Martin Heidegger*, Berlin 1990.
5 Jürgen Langenbach, *Günther Anders. Eine Monographie*, Wien 1986.
6 Konrad Paul Liessmann, *Günther Anders zur Einführung*, Hamburg 1988; im Erscheinen: Konrad Paul Liessmann (Hrsg.): *Günther Anders kontrovers*, München 1992; ebenfalls im Erscheinen die Bild-Monographie von Elke Schubert, *Günther Anders*, Reinbek 1992.
7 Werner Reimann, *Verweigerte Versöhnung. Zur Philosophie von Günther Anders*, Wien 1990.
8 Vgl. *AdM* I, S. 64 u. ö., *AdM* II, 63ff. u. ö. *Mensch ohne Welt. Schriften zur Literatur und Kunst*, München 1984, S. XXVI (im folgenden abgek. *MoW*).
9 *AdM* I, S. 8.
10 Vgl. *I*, S. 79ff.
11 *I*, S. 181ff.
12 *I*, S. 196ff.
13 *I*, S. 19ff.
14 *AdM* II, S. 452.
15 *I*, S. 172.
16 *Mariechen. Eine Gutenachtgeschichte für Liebende, Philosophen und Angehörige anderer Berufsgruppen*, Freundesgabe des Verlages C. H. Beck zum 85. Ge-

burtstag von Günther Anders. Mit einer Günther-Anders-Bibliographie von Günther Schiwy, München 1987.

17 Die *Psychologie der Frühen Kindheit* von William Stern ist auch in bezug auf Anders ein bemerkenswertes Dokument, weil die Eltern (Clara Sterns ungedruckte Tagebücher werden von William Stern einbezogen) ihre Psychologie aus der teilnehmenden Beobachtung ihrer drei Kinder entwikkeln. Man hat also die wohl einzigartige Gelegenheit, die Frühgeschichte eines bedeutenden Denkers in der Brechung seiner Eltern zu verfolgen: Stoff für psychologisch-philosophische Dissertationen...

18 Vgl. Günther Anders, *Hiroshima ist überall*, München 1982, S. 124ff. u. ö. (im folgenden abgek. *Hiü*).

19 *AdM* I, S. V.

20 *AdM* II, S. 58ff. Die Übergänge zwischen dieser »Dingpsychologie« und der von Anders ebenfalls geforderten »*Soziologie der Dinge*« sind fließend (vgl. *AdM* II, S. 115). Der »Traum der Maschinen« – der einzige Vergesellschaftungstraum, der in der kapitalistischen Technokratie geträumt wird – gilt dem reibungslos funktionierenden Gesamtapparat, der Mega-Maschine.

21 *I*, S. 21ff.

22 Vgl. besonders Günther Stern, ›Une Interprétation de l'Aposteriori‹, in: *Recherches Philosophiques* 1935, S. 65–80. – ›Pathologie de la Liberté‹, in: *Recherches Philosophiques* 1936, S. 22–54. – ›On the Pseudo-Concreteness of Heidegger's Philosophy‹, in: *Philosophy and Phenomenological Research* 1948, S. 337–371. – ›Nihilismus und Existenz‹, in: *Neue Rundschau*, Stockholm 1946, H. 5, S. 48–76.

23 *Ketzereien*, München 1982 (im folgenden abgek. *K*).

24 In: *Kosmologische Humoreske und andere Erzählungen*, Frankfurt/M. 1978.

25 *AdM* II, S. 12.

26 *K*, S. 129ff.

27 ›Pathologie de la Liberté‹, a. a. O., passim.

28 Vgl. *AdM* I, S. 327, *AdM* II, S. 130.

29 In: *Kosmologische Humoreske*, a. a. O., S. 96ff. und 190ff.

30 Die Diagnose lautet nach Chaplins *Modern Times* auf »Chaplinitis«.

31 Tagebücher und Gedichte, München 1985, S. 1ff. (im folgenden abgek. *TuG*).

32 Vgl. *I*, S. 42ff.

33 Erstausgabe Reinbek 1961, jetzt in: *Hiü*, S. 191ff.

34 *MoW*, S. XIff.

35 *AdM* I, S. 99ff.; *AdM* II, S. 248ff. u. ö.

36 Das gilt nach Anders' Analyse ebenso für die Warenwelt: ein noch nicht

ausgeschöpfter urteilstheoretischer Ansatz, der es gestatten könnte, die »sanfte«, liberale Diktatur der kapitalistischen Demokratien mit der nötigen Schärfe zu beschreiben. Anders' Theorie der verkappten, getarnten Urteile ist im übrigen gut geeignet, den Gegensatz zur Philosophie Ernst Blochs zu präzisieren: Ist für Bloch »S«, das Subjekt der Geschichte, noch nicht »p«, sein Prädikat, so diagnostiziert Anders: »S« ist in der weltlosen, phantomisierten, von der Warenästhetik korrumpierten, entmündigten, buchstäblich urteilslosen Welt der Dinge und der verdinglichten Menschen immer schon »p«. Das ist einer der Punkte, wo Anders sich mit der Identitätskritik der »Frankfurter Schule« berührt.

37 Vgl. die Selbstkritik im Vorwort zur fünften Auflage der *AdM* I, München 1980, S. VIII.

38 Zu dieser Paradoxie vgl. das Vorwort zu diesem Band.

39 Vgl. *AdM* II, S. 91 ff.

40 Vgl. Günther Anders, *Kafka pro und contra. Die Prozeßunterlagen*, Erstausgabe München 1951; jetzt in: *MoW*, S. 44 ff.

41 *MoW*, S. XI.

42 Vgl. Günther Anders, *Die atomare Drohung. Radikale Überlegungen*, München 1983 (im folgenden abgek. *AD*), passim.

43 Vgl. *I*, S. 29 ff. Kritisch zu dieser Version jetzt Reimann, a. a. O., S. 28, Anm. 23.

44 Vgl. *TuG*, S. 17 f.

45 Vgl. dazu den Anti-Antaios-Mythos in: Günther Anders, *Besuch im Hades. Auschwitz und Breslau 1966. Nach »Holocaust« 1979*, München 1979, S. 83 f. (im folgenden abgek. *BiH*).

46 *Der Blick vom Mond. Reflexionen über Weltraumflüge*, München 1970.

II. Welt ohne Mensch

1 *AD*, S. 168 f.

2 Vgl. dazu Ludger Lütkehaus, ›Das Prinzip Verantwortung. Praktische Philosophie im Zeitalter der technokratischen Apokalypse‹, in: Peter M. Pflüger (Hrsg.), *Apokalyptische Ängste und psychosoziale Wirklichkeit*, Fellbach 1985, S. 35–56; ders., ›Das Lehrstück Hiroshima und Nagasaki‹, in: *Die Neue Gesellschaft/Frankfurter Hefte*, H. 9/1987, S. 829–834; ders., ›»Es hat funktioniert«‹, in: *Medium*, H. 1/1990, S. 43 ff.; ders., ›»Eine große Gnade ist die Nacht«. Pessimismus und Praxis. Umrisse einer Konstellation‹, in: *Über den »Fall« Reinhold Schneider*, hrsg. von Klaus Mönig u. a., München/Zürich 1990, S. 120–135.

3 Vgl. *Hiü*, S. 191 ff. Die Deutung des »Falles Eatherly«, besonders, was Eatherlys Motive betrifft, aber auch etliche Fakten sind umstritten. Vgl. dazu neben den Angaben von Anders und Robert Jungk im Briefwechsel mit Eatherly und den – erheblich kritischeren – Berichten, die der mit Eatherly (und Anders) persönlich bekannte Filmemacher Erwin Leiser in journalistischer Form gegeben hat, die kontroversen Darstellungen von William Bradford Huie, *The Hiroshima Pilot*, New York 1964 (nach Anders' Version eine von der Air Force inspirierte ›Gegendarstellung‹), und Ronnie Dugger, *Dark Star. Hiroshima Reconsidered in the Life of Claude Eatherly*, Cleveland/New York 1967, der zu der bisher differenziertesten Darstellung gelangt. Keine Frage aber, daß der Eatherly, der sich im Briefwechsel mit Günther Anders zeigt, wünschenswerter wäre als der geltungssüchtige, in Wahrheit nie bereuende Simulant, den die Eatherly- und Anders-Kritik zu entlarven versucht. Im übrigen wäre deren Eatherly ein schon monströser Virtuose der Simulation gewesen.

Zur Geschichte des »eigentlichen« Hiroshima-Piloten, des Obersten und späteren Generals Tibbets, und seiner »happy crew« vgl. besonders Len Giovannitti/Fred Freed, *Sie warfen die Bombe*, Berlin 1967; Hans Herlin, *Die Flieger von Hiroshima*, Berlin 1984 (populär geschrieben, aber die informativste deutschsprachige Dokumentation der signifikanten Details); Robert Jungk, *Heller als tausend Sonnen*, Reinbek 1958; John Newhouse, *Krieg und Frieden im Atomzeitalter*, München 1990; Richard Rhodes, *Die Atombombe oder die Geschichte des 8. Schöpfungstages*, Nördlingen 1986; Gordon Thomas/Max Morgan-Witts, *Enola Gay*, New York 1977.

Ein vorzüglicher Fernsehfilm von Roelof Kniers (*›Auftrag ausgeführt‹. Die Geschichte der Bombermannschaften von Hiroshima und Nagasaki*) hat außerdem die alljährlichen Jubiläumsfeiern der »Stunde Null« des Atomzeitalters dokumentiert: wieder Festessen, Reden, Wiener (!) Walzermusik – und nun sind auch die sonst nur in der symbiotischen Psychopathologie präsenten Frauen dabei: ein wahrhaft monströses Dokument.

4 *AdM* I, S. 16 ff. u. ö.

5 *AdM* I, S. 16 ff., 45 ff., 267 ff. u. ö.

6 *AdM* I, S. 18, 267 ff., 309 ff. u. ö.

7 *AD*, S. 96 u. ö.

8 Karl Marx/Friedrich Engels, *Werke. Ergänzungsband*, Berlin (DDR) 1973, S. 263.

9 *AdM* I, S. 24 ff., 49 ff.

10 *AdM* II, S. 9.

11 *AdM* I, S. 33 ff.; *AdM* II, S. 279 ff.

12 *AdM* II, S. 290.

13 *AdM* II, S. 110ff.
14 *AdM* I, S. 271ff.; *AD*, S. 96ff.; *BiH*, S. 179ff.
15 *AdM* II, S. 34ff.
16 *AD*, S. 97f.
17 *AD*, S. 98.
18 *AdM* I, S. 283.
19 *AdM* I, S. 247ff.
20 *AdM* I, S. 239ff.
21 *AdM* I, S. 243ff.
22 *AD*, S. 207ff.
23 Theodor W. Adorno/Max Horkheimer, *Dialektik der Aufklärung*, Frankfurt/M. 1970, S. 7.
24 *AdM* I, S. 262ff.
25 *AD*, S. 95.
26 *AdM* I, S. 247ff.
27 *AdM* I, S. 298.
28 *AdM* I, S. 294ff.
29 *AdM* I, S. 286ff.; *AdM* II, S. 64ff., 94ff.
30 *AdM* I, S. 292ff.; *AdM* II, S. 72ff.
31 *AdM* I, S. 247.
32 *AD*, S. 101ff.
33 *AdM* I, S. 271ff.
34 *Wir Eichmannsöhne. Offener Brief an Klaus Eichmann*, München 1964. Erweiterte Neuausgabe München 1989.
35 Hannah Arendt, *Eichmann in Jerusalem. Ein Bericht von der Banalität des Bösen*, München 1964. Eine vergleichende Studie zum Werk von Hannah Arendt und Günther Anders steht noch aus.
36 *AdM* II, S. 290ff.
37 *AdM* II, S. 15ff.
38 Vgl. *AdM* I, S. 171ff.; *AdM* II, S. 38ff.
39 *AdM* II, S. 21ff.
40 *AdM* II, S. 391.
41 Ludwig Wittgenstein, *Tractatus logico-philosophicus*, Frankfurt/M. 1984, Satz 1.
42 *AdM* II, S. 399ff.
43 *MoW*, S. XVff.
44 *AD*, S. 136ff.
45 Ob diese so aussehen, wie man sie sich aus der Sicht der Technokratie vorstellen mag? Immerhin, dem Wirtschaftsteil einiger deutschsprachiger Blätter vom Mai 1990 – man muß nach Anders mehr die Zeitungen als die

Kollegen lesen – war die Meldung zu entnehmen, daß ein Denker-Stern aus Deutschlands Vorstandsetagen seine Automobilkollegen kritisiert hat, weil sie unter der Bezeichnung »Prometheus« ein »rein technisches«, nicht »global-ökologisch-ökonomisches« Verkehrskonzept entwickelt hatten. Prometheus stößt also selbst unter seinesgleichen manchmal auf ein antiprometheisches Programm, zumindest, wo es in der Spannweite vom PKW bis zum AKW um die harmloseren Wirtschaftsgüter geht.

46 *Der Blick vom Turm. Fabeln von Günther Anders*, München 1968, S. 7.

47 Ibid., S. 61.

III. Welt ohne Kunst

1 *I*, S. 110ff. und 138. Ähnlich *BiH*, S. 191; *K*, S. 69, 207ff. und 242.

2 Es wird immer wieder ungenau zitiert. In *Kulturkritik und Gesellschaft* (in: *Gesammelte Schriften*, Bd. 10/1, Frankfurt/M. 1977, S. 30), wo es seine Premiere erlebt (Erstdruck 1951), heißt es: »(...) nach Auschwitz ein Gedicht zu schreiben, ist barbarisch, und das frißt auch die Erkenntnis an, die ausspricht, warum es unmöglich ward, heute Gedichte zu schreiben.« Offenbar ist der zweite Teil dieses Satzes bei den meisten Rezitatoren des ersten nie angekommen. Außerdem wird Adornos spätere Relativierung dieses Verdiktes meistens nicht mitzitiert. Ich gebe nur drei Belege: »Den Satz, nach Auschwitz noch Lyrik zu schreiben, sei barbarisch, möchte ich nicht mildern. (...) Aber wahr bleibt auch Enzensbergers Entgegnung, die Dichtung müsse eben diesem Verdikt standhalten, so also sein, daß sie nicht durch ihre bloße Existenz nach Auschwitz dem Zynismus sich überantworte.« (*Noten zur Literatur*, in: *Gesammelte Schriften*, Bd. 2, Frankfurt/M. 1974, S. 422f.). – »Der Satz, nach Auschwitz lasse kein Gedicht mehr sich schreiben, gilt nicht blank, gewiß aber, daß danach, (...) keine heitere Kunst mehr vorgestellt werden kann. Objektiv artet sie in Zynismus aus.« (Ibid., S. 605f.). – »Das perennierende Leiden hat soviel Recht auf Ausdruck wie das gemarterte zu brüllen; darum mag falsch gewesen sein, nach Auschwitz ließe kein Gedicht mehr sich schreiben« (*Negative Dialektik*, in: *Gesammelte Schriften*, Bd. 6, Frankfurt/M. 1973, S. 355).

3 *MoW*, S. 205.

4 *K*, S. 209.

5 Im Widerspruch zu der sonst meist von Anders vertretenen Gleichung Auschwitz = Hiroshima insistiert er gelegentlich auch auf den gravierenden moralischen und historischen Unterschieden (vgl. etwa *BiH*, S. 203ff.).

6 Die Monographien von Jürgen Langenbach und Gabriele Althaus (s. Teil I, Anm. 3 und 5) berühren das Thema nur am Rande. Etwas eingehender, allerdings ohne den Focus »nach Hiroshima«, Konrad Paul Liessmann, *Günther Anders zur Einführung*, Hamburg 1988, S. 91 ff. und 111 ff.; ders., ›Die Schönheit der Gorgo. Günther Anders und die Literatur‹, in: *das pult* 65 (1982), S. 17–23.

7 Diese hier nicht weiter zu belegende Äquivokation wird mehr als ein hochgerüstetes Wortspiel, wenn man historisch etwa an der Geschichte des »Manhattan Districts« verfolgt, wie der zunächst kriegspolitisch begründete technisch-wissenschaftliche Komplex der Atombombenproduktion sich verselbständigt und auf Realisation gedrängt hat. Systematisch gesehen, erhellt Anders' These, daß im Zeitalter der dritten industriellen Revolution Waffen die »idealen Waren« geworden sind, die Realunion von technokratischer Produktion und militanter Destruktion. Die zeitgemäße Variante des Voltaireschen Gottesbeweises lautete noch bis vor kurzem: »Wenn es die Russen nicht gäbe, müßte man sie erfinden!« Inzwischen haben sie indes schon im Irak ihre Stellvertreter gefunden; weitere sind dank der absehbaren Pluralisierung der ABC-Mächte in Sicht. Der »Stealth«-Tarnkappen-Bomber, die militärisch, technokratisch und ästhetisch bezeichnendste und effektivste Innovation, muß unter diesen Umständen nicht mehr darauf warten, für Radar-Augen unsichtbar in die Erscheinung, will sagen: in die Produktion zu treten! Diesen neuen Typus von »Antiquiertheit des Aussehens« (dazu weiter unten) hat Anders noch nicht reflektieren können. Ich täte es mit Anders' wegweisender Kreuzung von »Metaphysik und Journalismus« nur zu gerne. Aber – ach! – die Gesetze der künftigen Zunft ließen allenfalls die »indirekte Rede« als Sprachmodus zu. Und wer redete schon freiwillig »Stealth-like«?

8 Vgl. die Interviews, a. a. O., passim.

9 Anders hat ihr überaus konzentrierte und prägnante Studien gewidmet (vgl. *MoW*, passim). So bekannt seine Kafka-Monographie ist (weswegen sie auch hier vernachlässigt werden kann) – der Germanist Anders ist noch zu entdecken.

10 Die frühe epische Dichtung *Die Stadt der 100 Götter*, geschrieben vom 20jährigen Anders (unpubliziert), hat bereits die »Weltlosigkeit« des Menschen im »kulturellen Pluralismus« thematisiert, den Anders in seinen Schriften zur Kunst und Literatur so barsch attackiert (vgl. *MoW*, S. XXIV ff.). Im Vergleich zu den anderen Bedeutungen der Formel ist dieser Pluralismus freilich eine vergleichsweise angenehme Art, nicht »in der Welt« zu sein.

11 Auf jeden Fall ein »Mensch mit Sprache«, mit *seiner* Sprache. Das gilt nicht zuletzt in biographischer Hinsicht: Dem Emigranten Anders, gerade nicht

dem daheimbleibenden, schwarzwandelnden Hüttenbewohner zwischen Sein und Zeit, so sehr der in seiner Welt zu sein scheint, wird die altvertraute Sprache zum einzigen »Haus« des zwangsweise verlassenen, schmerzlich entbehrten und wieder herbeigesehnten »Seins«. Vgl. dazu besonders den Abschnitt ›Emigration‹ in den *Tagebüchern und Gedichten*, S. 277 ff.

12 Wenn hier wie im folgenden gelegentlich Heideggersche Termini auftauchen, so bezeichnet das Anders' philosophische Herkunft – indessen eine kritisch gewendete: Heidegger auf die Füße gestellt (unerachtet der Tatsache, daß der Zivilisationsliterat Anders einst zum großen Erstaunen des Todtnauberger Hüttenbewohners ein Wettkopfstehen ebendort gewann!).

13 Anders verwendet den paramilitärischen Ausdruck »Desertion in die Praxis« selbstverständlich sarkastisch.

14 Damit mag es zusammenhängen, daß Anders immer noch nicht angemessen von der Universitätsphilosophie rezipiert worden ist. Die treibt lieber mit wenigen Ausnahmen historische Hermeneutik oder was der Methoden der Problementhaltung noch mehr sind. »Philosophie als strenge Wissenschaft« ist offenbar proportional dem diesbezüglichen Reinheitsgrad. Aber inzwischen hat man sich ja daran gewöhnt, daß die Probleme des Lebens und Sterbens meist draußen vor der Tür der Schulphilosophie bleiben.

15 Vgl. dazu im folgenden ›Der Kontingenzschock‹.

16 Allenfalls gilt bei geglückten Exempeln, die Anders von seinem Generalverdikt ausnimmt, wie etwa bei Grosz, die Umkehrung: »Heiter ist das Leben? Höllisch wird die Kunst.« (*MoW*, S. 204).

17 *Hiü*, S. 41 ff.

18 *MoW*, S. 11. Auch in Anders' traurigen Zahlenspielen – zwei Menschen kann man noch betrauern, aber 20, 200, 200000? – kann man womöglich nur quantitativ veränderte Dimensionen entdecken und dementsprechend das Schwellendatum des Atomzeitalters relativieren. Irgendwo aber zwischen den Zahlen – zynische Reminiszenz eleatischer Gedankenspiele: Wieviele Körner bilden einen Haufen? Wieviele Leichen den »zu großen« Mega-Toten? – erfolgt der qualitative Sprung, zu schweigen von den anderen Momenten, die Hiroshima zur Bruchstelle qualifizieren.

19 *MoW*, S. 11. Die wichtige Studie von Carl Pietzcker über die ›Grenzen und Möglichkeiten der »Atomliteratur«‹ (in: Carl Pietzcker, *Trauma, Wunsch und Abwehr. Psychoanalytische Studien zu Goethe, Jean Paul, Brecht, zur Atomliteratur und zur literarischen Form*, Würzburg 1985, S. 123–190), die die *inneren* Widerstände gegen die Darstellung und Vorstellung der atomaren Bedrohung betont – gelegentlich in Konkurrenz zum objektiv »Unvor-

stellbaren« überbetont –, erinnert an Alexander Baumgartens Reservierung der »großen Sonne« für die Wissenschaft, der »kleinen Sonne« der sinnlichen Anschauung für die Kunst. Was also, wenn es um »Blitze« »heller als tausend Sonnen« geht?

20 Vgl. *BiH*, S. 40; *AdM* I, S. 341 f.; *TuG*, S. 372. Eine Geschichte des »zu Großen«, nicht nur des Erhabenen, »sub specie Hiroshimae« ist noch zu schreiben.

21 *BiH*, S. 46 ff.

22 Vgl. *Hiü*, S. 124 ff.

23 *MoW*, S. XIII f., 211; *AdM* II, S. 36.

24 Dazu *AdM* I, S. 271 ff.; *BiH*, S. 38 ff. u. ö.

25 *AD*, S. 97.

26 *AD*, S. 98.

27 *Wir Eichmannsöhne*, München 1964, S. 32 f.

28 *AdM* I, S. 316.

29 *AdM* II, S. 316 ff.

30 *BiH*, S. 39.

31 *Hiü*, S. 66.

32 *AdM* I, S. 154.

33 *MoW*, S. 145.

34 *MoW*, S. 172.

35 *MoW*, S. 158.

36 *Hiü*, S. 62.

37 *Hiü*, S. 95 ff.

38 *Hiü*, S. 65.

39 *MoW*, S. 221.

40 *AdM* II, S. 331 u. ö.

41 *BiH*, S. 179 ff.

42 *BiH*, S. 181.

43 *BiH*, S. 203.

44 *BiH*, S. 187.

45 Etliche Gedichte, die Anders unter dem Titel ›Jüdisches‹ zusammengefaßt hat, daneben die ›Kinderfibel von übermorgen‹ und das ›Krieg‹-Kapitel in den Tagebüchern und Gedichten, gehören hierher. Zum Sammelband *Der Tod ist ein Meister aus Deutschland. Deportation und Vernichtung in poetischen Zeugnissen*, hrsg. von Bernd Jentzsch, München 1979, hat Anders trotz seiner Allergie gegen die titelgebende Celansche *Todesfuge* die Gedichte *Nein, dankbar sind sie nicht* (S. 35), *Zeitungsnachricht* (S. 59), *Sie auch* (S. 75) und *Und was hätts't du getan?* (S. 81) beigetragen. Zur Kritik und Selbstkritik dieses »poetischen« Versuches vgl. *Ketzereien*, S. 242 f.

46 *TuG*, S. 357f.
47 *TuG*, S. 385. Unter dem Titel *Zähle*, mit der Jahreszahl 1945 versehen, ist das Gedicht in einer geringfügig veränderten Fassung auch im *BiH*, S. 37, enthalten.
48 *Hiü*, S. 60ff. und 134ff.
49 Vgl. *Hiü*, S. 35, und das Zitat *AdM* I, S. 346f.
50 *Hiü*, S. 69f.
51 *Hiü*, S. 60. Im ›Kriegs‹-Teil der *TuG* (S. 330) ist die veränderte Fassung dieses Gedichtes *Tafel auf einem deutschen Schutthaufen* überschrieben.
52 *AdM* I, S. 59ff.; die historischen Umstände im Falle McArthurs fügen sich allerdings nicht ganz der von Anders skizzierten »Swiftiade«.
53 *AdM* I, S. 251.
54 *TuG*, S. 322.
55 *Der Blick vom Turm*, a.a.O., S. 73f.
56 *Hiü*, S. 88ff.
57 *AD*, S. 1ff., und *Hiü*, S. 177ff. Die beiden Varianten haben ein signifikant unterschiedliches Ende: Die Fassung in *Hiü* ist erheblich düsterer und strenger. Der Pessimist und zugleich der apokalyptische Pädagoge Anders machen sich bemerkbar.
58 *Hiü*, S. 16.
59 *AdM* I, S. 323f.

IV. Der Kontingenzschock

1 Brief vom 11. November 1815 an Goethe, jetzt in: L. Lütkehaus (Hrsg.), *Arthur Schopenhauer. Der Briefwechsel mit Goethe und andere Dokumente zur Farbenlehre*, Zürich 1992. Für Schopenhauer ist kein anderer als König Ödipus, der den bekömmlicheren Einflüsterungen der »Jokaste in sich« widersteht, das Urbild des Philosophen. Welcher Mut, welche Introspektion wäre der Zunft damit abverlangt! Zu betonen ist noch einmal: der Mut, nicht schon Logik und Systematik, nicht Abstraktionsvermögen und formale Intelligenz allein, machen den Philosophen.
2 Zu dieser Konstellation vgl. neben G. Althaus (a.a.O., S. 26ff., 77ff. und 130ff.), J. Langenbach (a.a.O., S. 40ff. und 47ff.) und K. P. Liessmann (a.a.O., S. 21ff.) besonders die Arbeit von W. Reimann (a.a.O., passim). Reimann geht intensiver, als es in der bisher publizierten Anders-Forschung der Fall ist, auf die wichtigen frühen philosophischen Aufsätze zurück und hat auch den Mut, Anders' Nihilismus (wie vorher am entschiedensten J. Langenbach) ernstzunehmen. In philosophiehistorischer

Hinsicht wird überdies eingehend die Tradition der paradoxerweise »anthropofugalen« Anthropologie einbezogen. Allerdings dominiert die anthropologische Perspektive bei Reimann zu sehr. Die auf weit mehr als nur den Menschen zielende Extension und Tiefe des Kontingenzschocks und auch die Radikalität des Andersschen Denkens als philosophischer Explosion der Bombe werden so letzten Endes doch wieder reduziert: Der Interpret geht der Anthropozentrik hermeneutisch noch einmal auf den Leim.

Innerhalb des anthropologischen Rahmens wiederum favorisiert Reimann in der Reaktion auf den bisher dominierenden Akzent der Anders-Rezeption zu sehr den unhistorischen, »metaphysischen« gegenüber dem historisch-kritischen Anthropologen und Maschinenstürmer. Die Beschreibung des »prometheischen Gefälles« als »anthropologischer Differenz« ist nur begrenzt richtig (nicht ganz glücklich auch die Wahl des – ja hinlänglich besetzten – Terminus »ontologische Differenz«, um die »Weltfremdheit des Menschen« zu bezeichnen). Die – von Reimann prinzipiell nicht bestrittene – Doppelperspektive von Anders' »philosophischer Anthropologie *im Zeitalter der Technokratie*« (Hervorhebung L. L.) inclusive der Diskrepanz zwischen Seele/Leib und Gerät ist demgegenüber noch einmal mit allem Nachdruck zu betonen. Im übrigen vernachlässigt die vermeintlich fundamentalere, »metaphysische« Perspektive, die Reimann im Sinn der titelgebenden »Verweigerten Versöhnung« anstrebt, daß es just die höchst spezifischen Aktualitäten der »Jetztzeit« sind, die uns den wahren Fundamentalismus bescheren. Trotzdem ein bedeutsames, weiterführendes Buch innerhalb einer Forschung, die – im Gegensatz etwa zu mancherlei Verquastheitsexzessen der Heideggerei – immer schon positiv von den Qualitäten ihres Gegenstandes angesteckt worden ist.

Der wichtigste zeitgenössische Exponent des »anthropofugalen« Denkens in Deutschland, Ulrich Horstmann, scheint Anders' dunklere Seiten gelegentlich zu vergessen. Die Karikatur, die er auf den Schlußseiten des »Untiers« vom »vorreflexix-dogmatischen« Humanismus des »Erzhumanisten« (bei Horstmann ein Schimpfwort) entwirft (»ständig herausgekehrte menschenfromme Sorge... verstockter Selbstbetrug... mehr als philosophisch unabgesichert und naiv... Humanismus als rettendes Denkverbot... ex cathedra verkündete Überlebensreligion samt anhangendem Unfehlbarkeitsanspruch...«), ist eben nur eine Karikatur. Dreht man die Litanei der Invektiven ums Ganze um, trifft man die anthropofugale Wahrheit auf den – hoffentlich reflexiv-undogmatischen – Kopf (Ulrich Horstmann, *Das Untier. Konturen einer Philosophie der Menschenflucht*, Wien/Berlin 1983, S. 106ff.). – Rigo Baladur, der weniger bekannte, aber nicht weniger charakteristische »anthropofugale« Denker der »Jetztzeit« in Deutschland, kennt Anders erheblich besser (vgl. jetzt nach den unerquicklichen *Piktogrammen des humanen Terrors. Gedanken zur anthropofugalen Ethik*, Essen 1988, *Gründe, warum es uns nicht geben darf. Frontbericht von einem sterbenden Stern mit Motiven des Widerstands*, Essen 1991). Autoren wie E. M. Cioran oder Albert Caraco diskutieren, soweit ich sehe, Anders nicht. Anders seinerseits hat sich mit den zeitgenössischen »Anthropofugalen« nicht auseinandergesetzt: Er brauchte es nicht, weil er die Versuchungen dieses Denkens aus sich selber kennt.

3 *AdM* II, S. 12.

4 *K*, S. 138.

5 *AD*, S. 176.

6 *K*, S. 253.

7 Anders aber die Interview-Auskunft: *I*, S. 98.

8 *K*, S. 172.

9 *K*, S. 346.

10 *K*, S. 11.

11 Vgl. z. B. *K*, S. 123; *AdM* II, S. 414 ff.

12 Vgl. *AdM* I, S. 8 ff.; *AdM* II, S. 12 ff. und 417 ff.; *K*, S. 341 ff.

13 Vgl. *K*, S. 341 f.

14 Vgl. *AdM* I, S. 8.

15 Vgl. *AdM* I, S. 9 ff.; *AdM* II, S. 412 ff.; *K*, S. 342 ff. Das hat den alten Anders allerdings nicht gehindert, sich gelegentlich (vgl. etwa *AdM* II, S. 10 f.) an dem unverhofft, sozusagen a posteriori systematischen Zusammenhang seines Lebenswerkes zu erfreuen.

16 *K*, S. 342.

17 Vgl. *AdM* I, S. 12 ff.; *AdM* II, S. 416; *K*, S. 342.

18 *AdM* II, S. 417.

19 Ibid.

20 Vgl. *AdM* II, S. 416 ff.; *K*, S. 312 f. und 342 ff.

21 *Summa theologiae* I, 86, 3 c.

22 Hans Blumenberg, Artikel »Kontingenz« in: *Die Religion in Geschichte und Gegenwart*, 3. Aufl., Bd. III, Sp. 1793 f. (Hervorhebung L. L.).

23 Vgl. *Lieben Gestern. Notizen zur Geschichte des Fühlens* (abgek. *LG*), München 1986, S. 72.

24 Ernst Troeltsch, ›Die Bedeutung des Begriffs der Kontingenz‹, in *Encyclopedia of Religion and Ethics*, hrsg. von J. Hastings; Wiederabdruck in: *Gesammelte Schriften*, Bd. II: *Zur religiösen Lage, Religionsphilosophie und Ethik*, Tübingen 1913, S. 771 ff.

25 A. a. O., S. 24.

26 Vgl. *K*, S. 171 ff.

27 Vgl. *AdM* II, S. 385.
28 *AdM* II, S. 416 und 462.
29 *K*, S. 172f.
30 Vgl. *AdM* I, S. 220f., und ›Nihilismus und Existenz‹, a.a.O., S. 58ff.
31 Vgl. den Untertitel der ›Pathologie de la Liberté‹ und *LG*, S. 62.
32 *K*, S. 65.
33 *K*, S. 312.
34 *K*, S. 313.
35 *K*, S. 312.
36 ›Pathologie...‹, a.a.O., S. 23ff.; *K*, S. 312, 320 u.ö.; *Philosophische Stenogramme*, a.a.O., S. 5; *LG*, S. 61.
37 ›Pathologie...‹, passim.
38 Troeltsch, a.a.O., S. 776f.
39 Vgl. die präzise Analyse dieser Dialektik bei Reimann, a.a.O., S. 49ff.
40 Zu Anders' Selbstkritik an der Überbetonung der Freiheitsmomente in der frühen Unfestgelegtheits-Philosophie vgl. *AdM* I, S. 327; *MoW*, S. XIVf., XLIII u.ö.
41 ›Pathologie...‹, a.a.O., S. 22. – Eine systematische Untersuchung des »Welt«-Begriffs bei Anders wäre ein dringendes Desiderat. Zur Selbstkritik am Singular »die Welt« vgl. *AdM* II, S. 412.
42 Vgl. *AdM* II, S. 129f.; *MoW*, S. XV u.ö. Der durch Ulrich Sonnemann (*Negative Anthropologie. Vorstudien zur Sabotage des Schicksals*, Reinbek 1969) bekannt gewordene Begriff ist dem Signifikat nach schon beim frühen Anders vorhanden. H. Hildebrandt (a.a.O., S. 33f.) deutet an, wie der Begriff neben seiner unmittelbar anthropologischen und trotz aller »Negativität« eigentlich wertfreien Bedeutung (analog zur »negativen Theologie«) durch die Verbindung mit der Antiquiertheits-Theorie tatsächlich negativ wird.
43 Vgl. *AdM* I, S. 310ff.; *MoW*, S. XIVf. u.ö.
44 Vgl. die scharfsinnige »metaphysische Rekonstruktion« dieser Dialektik bei Reimann, a.a.O., S. 61f.
44a Vgl. besonders ›Pathologie...‹, a.a.O., S. 31ff.; *AdM* I, S. 65ff. und 330ff. Dazu erhellend Reimann, a.a.O., S. 52ff.
45 *AdM* I, S. 310.
46 *K*, S. 311f.
47 Friedrich Hölderlin, *Sämtliche Werke. Frankfurter Ausgabe*, hrsg. von D.E. Sattler, *Einleitung*, Frankfurt/M. 1975, S. 74.
48 *MoW*, S. 19.
49 *MoW*, S. 195 u.ö. Die Frage, wie sich individuelle Determination, überhaupt Determination und die Beliebigheit des Kontingenten zueinander

verhalten, hat Anders nicht geklärt. Die leibliche »ontische Mitgift« etwa, deren der Mensch sich schämt, ist offenbar determinierend, festlegend und kontingent zugleich.

50 Vgl. ›Nihilismus und Existenz‹, a. a. O., S. 64; *AdM* II, S. 113; *MoW*, S. 20.

51 Vgl. *TuG*, S. 20.

52 *Hiü*, S. 137.

53 *TuG*, S. 28.

54 *LG*, S. 61.

55 ›Pathologie...‹, a. a. O., S. 23 ff.

56 ›Nihilismus und Existenz‹, passim.

57 A. a. O., S. 70 f.

58 Vgl. *AdM* II, S. 128 ff.

59 *Philosophische Stenogramme*, a. a. O., S. 116.

60 Vgl. *AdM* II, S. 416 ff. u. ö.

61 Vgl. *I*, S. 98 f.

62 Vgl. *Philosophische Stenogramme*, S. 50; *K*, S. 12 und 215.

63 A. a. O., S. 36 f.

64 *AdM* II, S. 416.

65 *AdM* II, S. 384; *K*, S. 239 f.

66 *AdM* II, S. 128 ff.

67 *K*, S. 309.

68 Vgl. *K*, S. 12 f.

69 Vgl. *AdM* I, S. 186 ff.

70 *AdM* I, S. 46.

71 A. a. O., S. 75.

72 So die prägnante Formel von Liessmann, a. a. O., S. 27.

73 *Der Blick vom Mond*, a. a. O., S. 65; vgl. auch *AdM* II, S. 387.

74 Vgl. *Der Blick vom Mond*, a. a. O., S. 142; *K*, S. 157.

75 Vgl. *K*, S. 347.

76 Vgl. *K*, S. 157, 171 ff., 311, 342. Die zünftige Beckmesserei hätte allerdings zu bemängeln, daß Anders bei dem zuletzt genannten Kant-Zitat die teleologischen Rückversicherungen unterschlägt, mit denen der vorkritische Kant seine großzügige kosmologische Verzichtpolitik balanciert.

77 So schon die Beckett-Deutung *AdM* I, S. 216.

78 Vgl. *AD*, S. 48 ff. – In seiner ›Interprétation de l'Aposteriori‹ (a. a. O., S. 76) hat Anders unter Bezugnahme auf Schelers *Stellung des Menschen im Kosmos*, sonst eher als Zeugnis antiquierter philosophischer Anthropologie bemüht, die Implikationen dieses »Existenzialismus« für den Menschen umrissen: seiner Möglichkeit, Existenz und Essenz voneinander zu tren-

nen, als »Neinsagenkönner« und »Asket des Lebens« der Negation fähig zu sein und auch Abwesenheit repräsentieren zu können. Erstaunlich nur, daß Anders weder hier noch sonst Schelers Verbindung von Ich- und Weltkontingenz zitiert. In bezug auf die »Möglichkeit des ›absoluten Nichts‹« hatte Scheler nämlich ausdrücklich gefragt: »Warum ist *überhaupt* eine Welt, warum und wieso bin ›ich‹ überhaupt?« Und als »Weltkontingenz« hatte er dabei den »seltsamen«, den »eigenartigen Zufall, die Kontingenz der Tatsache« verstanden, »›daß *überhaupt Welt ist und nicht vielmehr nicht ist*‹ und *daß er selbst*, (der Mensch, L. L.) *ist* und *nicht vielmehr nicht ist*«. Deutlicher läßt sich das Syndrom von Ich- und totalisierter Weltfremdheit nicht formulieren. Und wird mit Schelers »Weltkontingenz«, seiner »Weltfrage« sozusagen, die Heideggersche, die Anderssche Seinsfrage nicht insgesamt antizipiert? (Vgl. Max Scheler: *Die Stellung des Menschen im Kosmos* [1927], in: *Späte Schriften*, *Gesammelte Werke*, Bd. IX, hrsg. von Manfred S. Frings, Bern 1976, S. 42 ff. und 68).

79 *AdM* II, S. 386.
80 *AdM* II, S. 385.
81 Vgl. *AdM* II, S. 384; *K*, S. 130.
82 *AdM* II, S. 385.
83 Vgl. *K*, S. 16.
84 Vgl. *K*, S. 343.
85 Vgl. *AdM* II, S. 376 ff.
86 Vgl. *I*, S. 126.
87 Vgl. *AdM* I, S. 220; *TuG*, S. 246.
88 Vgl. *AdM* II, S. 367 ff.
89 Vgl. *MoW*, S. 123.
90 *AdM* II, S. 387.
91 *AdM* II, S. 388.
92 *Der Blick vom Mond*, a. a. O., S. 165.
93 Ibid., S. 166.
94 A. a. O., S. 773.
95 Vgl. *AdM* II, S. 365 und 461.
96 Vgl. *AdM* II, S. 462.
97 Ludwig Wittgenstein, *Tractatus logico-philosophicus*, a. a. O., 6.41 f.
98 Ibid., 6.42 und 6.421.
99 A. a. O., S. 63.
100 *K*, S. 28 f.
101 *K*, S. 26.
102 *K*, S. 21 und 123.
103 *AdM* I, S. 46; *K*, S. 270.

104 *K*, S. 28.
105 *K*, S. 21 f.
106 Vgl. *AdM* I, S. 45.
107 *K*, S. 30.
108 *K*, S. 29.
109 Ibid.
110 *AdM* I, S. 45.
111 *I*, S. 45 f.
112 Vgl. zum folgenden Hans Jonas, *Das Prinzip Verantwortung. Versuch einer Ethik für die technologische Zivilisation*, Frankfurt/M. 1979, besonders S. 8, 82, 90f., 96f., 155, 186f., 196.
112a Vielleicht kann das letzte Argument – der Selbstmörder macht von seinen Seinskapazitäten zum Zwecke ihrer Negation Gebrauch – tatsächlich dem Einwand zuvorkommen, daß es sich beim Begriff eines »ontologischen Imperativs« nur um eine contradictio in adjecto handle. Doch könnte es ja die radikalste Applikation einer Fähigkeit sein, wenn ein für alle Mal von ihr Gebrauch gemacht würde. Und welcher Selbstmörder kümmert sich schon um Selbstwidersprüche...
113 Vgl. *AdM* I, S. 46f.
114 Vgl. *AdM* I, S. 46. Über die der Ontologie »externe« Moral Reimann, a.a.O., S. 155.
115 Vgl. *Das Prinzip Verantwortung*, a.a.O., S. 93.
116 Vgl. *AdM* I, S. 323.
117 *K*, S. 258.
118 Vgl. *K*, S. 212.
119 *AdM* I, S. 46.
120 *Philosophische Stenogramme*, a.a.O., S. 48.
121 Vgl. *AdM* I, S. 300; *AdM* II, S. 417 und 461; *K*, S. 12, 27f., 65, 226, 252, 313 u.ö.
122 Vgl. Anm. 78.
123 *AdM* I, S. 300. Lotze schreibt »Nichts« wie Heidegger groß. (Hermann Lotze, *System der Philosophie. Zweiter Theil: Drei Bücher der Ontologie, Kosmologie und Psychologie*, Leipzig 1879, S. 31).
124 *Was ist Metaphysik?* Frankfurt/M., [12]1981, S. 22.
125 *AdM* II, S. 417; *K*, S. 27 und 313.
126 *K*, S. 252.
127 *K*, S. 27.
128 *K*, S. 226.
129 Vgl. die Heidegger-Kritik: *K*, S. 226f.
130 *K*, S. 227.

131 Vgl. *K*, S. 27.
132 Vgl. *MoW*, S. 229.
133 Vgl. *K*, S. 197 und 227; *AD*, S. 172; *Kosmologische Humoreske*, a. a. O., S. 87.
134 *AdM* I, S. 304.
135 *K*, S. 302.
136 *AdM* I, S. 316ff.
137 Das muß man wohl zu Anders' generalisierender Redeweise hinzufügen. Der Monismus, für sich genommen, kann auch ganz andere Bedeutungspotentiale entfalten.
138 *AdM* I, S. 299f.
139 *AdM* I, S. 300.
140 *AdM* I, S. 323; *AD*, S. 49.
141 *K*, S. 341.
142 *Philosophische Stenogramme*, a. a. O., S. 48ff.; *K*, S. 53, 122f., 128, 329 u. ö.
143 *AdM* I, S. 217ff.
144 *Philosophische Stenogramme*, a. a. O., S. 50.
145 *K*, S. 197.
146 *BiH*, S. 217.
147 *Hiü*, S. 218ff.
148 Vgl. *AdM* I, S. 299ff. und 316ff.
149 *AdM* I, S. 301 und 318.
150 Vgl. *AdM* I, S. 316ff.
151 Vgl. *AdM* I, S. 302, 316 und 322ff.
152 Vgl. *AdM* I, S. 301ff.
153 *AdM* I, S. 303ff.
154 *BiH*, S. 211.
155 *Hiü*, S. 13 und 130.
156 *AD*, S. 177.
157 ›Nihilismus und Existenz‹, a. a. O., S. 69.
158 *I*, S. 67.
159 Vgl. dazu die Selbstdeutung der *Kosmologischen Humoreske*; *K*, S. 313; anders allerdings *K*, S. 38.
160 Vgl. *K*, S. 12 und 157.
161 Günther Stern, ›Über die sog. »Seinsverbundenheit« des Bewußtseins. Anläßlich Karl Mannheim: »Ideologie und Utopie.«‹ In: *Archiv für Sozialwissenschaft und Sozialpolitik*, H. 64/1930, S. 492, 509.
162 Vgl. *AdM* I, S. 316ff.
163 *AdM* I, S. 316.
164 *Hiü*, S. 56.
165 *K*, S. 233. Vgl. auch die analoge Überlegung *K*, S. 286f., zur Verwandt-

schaft zwischen Täter und Opfer, Schläger und Geschlagenem, Sado- und Masochismus.

166 Vgl. z. B. *K*, S. 52f. Nur gelegentlich, etwa wenn ihm ein ungnädiger Interviewer seine Widersprüche vorrechnet (vgl. *I*, S. 97f.), ist Anders der Versuchung erlegen, sie als Scheinwidersprüche zu deklarieren.

167 *K*, S. 197.

168 *K*, S. 197f.

169 Vgl. *K*, S. 216f.

170 *Vgl. AdM* II, S. 390.

171 *Philosophische Stenogramme*, a. a. O., S. 51.

172 Vgl. *K*, S. 13; Langenbach, a. a. O., S. 47f. Die Differenz dieses irrealen »Als-Ob« zu dem von Kant zumeist bevorzugten finalen »daß« ist allerdings festzuhalten. In meiner Schopenhauer-Preisschrift (*Schopenhauer. Metaphysischer Pessimismus und »soziale Frage«*, Bonn 1980), dann in: *Schopenhauer und Marx. Philosophie des Elends – Elend der Philosophie?*, hrsg. von Hans Ebeling und L. Lütkehaus. Frankfurt/M. 1980, ²1985, S. 19 und S. 23ff., sowie in den in Teil II, Anm. 2 genannten Aufsätzen habe ich die Konturen einer solchen Praxisphilosophie des Als-Ob auf dem Hintergrund der nachschopenhauerschen Tradition des 19. Jahrhunderts zu umreißen versucht.

173 *K*, S. 229.

174 *K*, S. 217; *Hiü*, S. 24.

175 Vgl. *AdM* II, S. 388ff.

176 *K*, S. 77.

177 Vgl. *AdM* II, S. 390.

178 Vgl. *K*, S. 197.

179 *TuG*, S. 203ff.

180 *AdM* I, S. 323f. Eine durchaus skeptischere Variante dieser Fabel bietet Anders im *BiH*, S. 195. Oft erzählt Anders seine Geschichten in verschiedenen Fassungen mit ganz unterschiedlichen Akzenten. Darin äußern sich nicht nur unterschiedliche Grade der Schwarzseherei, sondern auch die »eiserne Inkonsequenz«, das In- und Gegeneinander des Nihilisten und des Moralisten.

181 *Hiü*, S. 77ff.

182 *Hiü*, S. 56; ähnlich die Bedeutung der Metaphern *Hiü*, S. 20 und 79.

183 *Hiü*, S. 81.

184 *K*, S. 47 u. ö.

185 Vgl. ›Une Interprétation...‹, a. a. O., S. 80; *AD*, S. 176; *K*, S. 253.

186 Vgl. *K*, S. 236.

187 Vgl. *K*, S. 29 und 102.

188 *K*, S. 236.
189 Vgl. *AdM* II, S. 198.
190 Vgl. *K*, S. 155 und 164; *LG*, S. 97f.
191 *K*, S. 312. Die aufschlußreiche Parallelformel lautet: »*Die Menschen sind die Juden unter den Tieren.* (...) *der Jude ist der Mensch in der Potenz.*« (*K*, S. 281). Man kann das auf dem Hintergrund von Anders' lebensgeschichtlicher Erfahrung auch so sagen: »Der Mensch ist der Emigrant, der – Intellektuelle des Tierreichs.« Diese Formeln gewinnen ihre volle Bedeutung erst auf dem Hintergrund der Andersschen Kontingenzphilosophie und seiner »Pantomanie«: Nirgends zugehörig, immer randständig, haben die Juden wie die Emigranten am meisten die Erfahrung der Weltfremdheit, der Kontingenz gemacht; das ist die conditio sine qua non des philosophischen »*stupor ininterruptus*«. Und nirgends zugehörig, waren sie zugleich immer für alles offen. Anders' »Learsi« z. B. (in: *Kosmologische Humoreske*, a. a. O., S. 116 u. ö.) artikuliert den Zusammenhang von »Weltfremdheit« und Offenheit. Die »Theodizee« der Randständigkeit, die Anders in diesem Sinn riskiert, wäre eine eigene Untersuchung wert – mit möglicherweise weitreichenden Perspektiven: das Bilderverbot, ja, die »negative Theologie« im ganzen ein Reflex der Kontingenzerfahrung und der »Pantomanie«?
192 Vgl. *AdM* II, S. 387; ›Nihilismus und Existenz‹, a. a. O., S. 71.
193 Vgl. *LG*, S. 120.
194 Vgl. *AdM* II, S. 383f.; *K*, S. 239f.
195 Vgl. *AdM* I, S. 186ff.
196 Ich fabuliere hier Anders' Heidegger-Kritik parodistisch weiter.
197 *AdM* I, S. 187; *Philosophische Stenogramme*, a. a. O., S. 66.
198 *AdM* I, S. 183ff.
199 Vgl. den Begriff des »kosmischen Managers«: *AdM* I, S. 187.
200 *Philosophische Stenogramme*, a. a. O., S. 78.
201 *LG*, S. 120; vgl. auch *AdM* II, S. 365.
202 *LG*, S. 120.
203 *K*, S. 174. Die von Anders hier beschriebene Szene – er tut das, was die Agenten der Wirtschaftsontologie zur Raserei bringt: er verschwendet Zeit; er wartet – ist einer der seltenen Punkte in seinem Werk, an dem so etwas wie eine meditative Erfahrung (natürlich bei ihm ohne spiritistischen Tief- und Kunst-Sinn) spürbar wird.
204 *Hiü*, S. 22.
205 *K*, S. 14.
206 Vgl. *AdM* I, S. 296ff.
207 *AdM* I, S. 302.
208 Vgl. *K*, S. 329.

209 *AdM* I, S. 179.
210 *TuG*, S. 183.
211 Vgl. *Visit Beautiful Vietnam*, a. a. O., S. 168.
212 *Das Prinzip Verantwortung*, a. a. O., S. 241.
213 *K*, S. 307.
214 Vgl. *Hiü*, S. 137 ff.
215 Man darf es in praxi freilich nicht so stimulieren wollen, wie Horkheimer es nach Werner Fulds Benjamin-Biographie in der Emigration versucht hat: Er ließ für den durchaus bedürftigen Anders eine Tüte mit einer Dose Ölsardinen, einer Tomate, einem Apfel und mehreren Schachteln Streichhölzern packen. Das mochte vielleicht etwas für den künftigen Urheber der Walfischin Mariechen, jedenfalls etwas für den Pyromanen Anders und noch zuverlässiger etwas für das Bewußtsein der Verlassenheit sein, kaum aber ein Anlaß für deren Lob. Anders reagierte, wie man den »habitués des Seins« gegenüber adäquat reagiert: Er ersuchte telephonisch um die »Einholung« der Tüte per Chauffeur: auch ein Kapitel aus der Geschichte der ›Kritischen Theorie‹. (Vgl. Werner Fuld, *Walter Benjamin. Eine Biographie*, Frankfurt/M. 1981, S. 253).
216 *Der Blick vom Mond*, S. 89.
217 *Das Prinzip Verantwortung*, a. a. O., S. 166.
218 Vgl. *AdM* I, S. 230 f.
219 *Philosophische Stenogramme*, a. a. O., S. 136.
220 So die einigermaßen widersprüchliche Wendung: *K*, S. 340.
221 Vgl. *Hiü*, S. 79; *AD*, S. 206.
222 *Philosophische Stenogramme*, a. a. O., S. 136.
223 *K*, S. 323.
224 *K*, S. 318 und 340.
225 Vgl. *AdM* I, S. 230 f.
226 *K*, S. 310.
227 *K*, S. 293.
228 *K*, S. 251 f. und 16.
229 *K*, S. 38.
230 *K*, S. 146 ff.
231 *Kosmologische Humoreske*, a. a. O., S. 13.
232 Vgl. ibid., S. 15 ff.
233 Ibid., S. 21 und 86 f.
234 Ibid., S. 90 f.
235 Ibid., S. 88 ff.
236 Ibid., S. 86.
237 Ibid., S. 94 f.

238 *Mariechen*, a. a. O., S. 10ff.
239 Ibid., S. 84.
240 Ibid., S. 19.
241 Ibid., S. 16ff.
242 Ibid., S. 26f.
243 Ibid., S. 9, 25 und 31.
244 *AdM* II, S. 385.
245 *Mariechen*, a. a. O., S. 27ff.
246 Ibid., S. 35ff., 45 und 79f.
247 Ibid., S. 34 und 41ff.
248 Ibid., S. 63f.
249 Ibid., S. 35ff., 67f. und 83f.
250 Ibid., S. 68.
251 Ibid., S. 23.
252 Ibid., S. 8.
253 Ibid., S. 64.
254 Ibid., S. 30.
255 Ibid., S. 32.
256 Ibid., S. 80.
257 Ibid., S. 84.
258 Ibid., S. 84.
259 Vgl. *Hiü*, S. 13ff.

Günther-Anders-Bibliographie

Die vorliegende Bibliographie ist das bisher vollständigste Verzeichnis der Werke von Günther Anders. Ich schließe dankbar an die Arbeiten von Werner Fuld (in: *Kritisches Lexikon zur deutschsprachigen Gegenwartsliteratur*, hrsg. von Heinz Ludwig Arnold, München 1985, 21. Nlg., S. Aff.), Bernhard Lassahn (in: *Das Günther Anders Lesebuch*, hrsg. von Bernhard Lassahn, Zürich 1984, S. 333ff.), Jürgen Langenbach (a.a.O., S. 80ff.), Günther Schiwy (in: *Mariechen*, a.a.O., S. 85ff.) und Konrad Paul Liessmann (a.a.O., S. 147ff.) an. Nicht berücksichtigt wurden Publikationen in Zeitungen sowie Buch- und Filmkritiken, die Günther Anders, z.T. noch unter dem Namen Günther Stern, in verschiedenen Zeitschriften (u.a. den *Recherches Philosophiques* und der *Zeitschrift für Sozialforschung*) veröffentlicht hat. In Anbetracht der Fragmentierung auch der Werkbibliographie, besonders in den Jahren vor und während der Emigration, muß freilich jeder bibliographische Versuch zu Günther Anders ergänzungsbedürftig bleiben.

1924 Die Rolle der Situationskategorie bei den »Logischen Sätzen«. Erster Teil einer Untersuchung über die Rolle der Situationskategorie. Phil. Diss. (Masch.) Freiburg i. Br. (unter Günther Stern).

1926 Über Gegenstandstypen. In: Philosophischer Anzeiger, Jg. 1, S. 359–381 (unter Günther Stern).

1927 Zur Phänomenologie des Zuhörens. In: Zeitschrift für Musikwissenschaft, S. 610–619 (unter Günther Stern).

1928 Über das Haben. Sieben Kapitel zur Ontologie der Erkenntnis, Bonn (unter Günther Stern).

1930 Über die sog. »Seinsverbundenheit« des Bewußtseins. In: Archiv für Sozialwissenschaft und Sozialpolitik, H. 64, S. 492–509 (unter Günther Stern). Wiederabdruck in: Volker Meja/Nico Stehr (Hrsg.), Der Streit um die Wissenssoziologie, Frankfurt/M. 1982.

1930 Spuk und Radio. In: Anbruch XII, 2/1930, S. 65 (unter Günther Stern).

1932 Rilkes Duineser Elegien. In: Neue Schweizer Rundschau, S. 855–871 (von Hannah Arendt und Günther Stern). Wiederabdruck in: Ulrich

Fülleborn, Manfred Engel (Hrsg.), Rilkes Duineser Elegien, Band 2, Frankfurt/M. 1982.

1935 Une Interprétation de l'Aposteriori. In: Recherches Philosophiques, S. 65–80 (unter Günther Stern).

1936 Pathologie de la Liberté. In: Recherches Philosophiques, S. 22–54 (unter Günther Stern).

1944 Homeless Sculpture. In: Philosophy and Phenomenological Research, H. 2, S. 293–307 (über Rodin; unter Günther Stern).

1945/6 Der ›Tod des Vergil‹ und die Diagnose seiner Krankheit. In: Austro-American Tribune. Wiederabdruck in: Mensch ohne Welt. Schriften zur Kunst und Literatur, München 1984, S. 195–200.

1946 Nihilismus und Existenz. In: Neue Rundschau, (Stockholm) H. 5, S. 48–76.

1948 On the Pseudo-Concreteness of Heidegger's Philosophy. In: Philosophy and Phenomenological Research, H. 3, S. 337–371 (unter Günther Stern [Anders]).

1949 The Acoustic Stereoscope. In: Philosophy and Phenomenological Research, H. 4, S. 238–243 (unter Guenther Anders-Stern).

1950 Bild meines Vaters. In: William Stern, Allgemeine Psychologie, 2. Aufl., The Hague (unter Günther Anders-Stern).

1950 Emotion and Reality. In: Philosophy and Phenomenological Research, H. 4, S. 553–562 (unter Guenther Stern [Anders]).

1951 Kafka – Pro und Contra. Die Prozeßunterlagen, München. Wiederabdruck in: Mensch ohne Welt, a. a. O., S. 44–131.

1952 Geleitwort zur 7. Auflage von William Stern, Psychologie der frühen Kindheit, Heidelberg (unter Günther Stern-Anders).

1952 Philosophie – für wen? In: Die Sammlung. Zeitschrift für Kultur und Erziehung, Nr. 11. Wiederabdruck unter dem Titel: Über die Esoterik der philosophischen Sprache. In: Merkur 322/1975; Das Argument 128/1981, S. 491–505; Günther Anders antwortet, a. a. O., S. 181–202.

1954 Dichten heute. In: Rudolf Ibel (Hrsg.), Das Gedicht. Jahrbuch zeitgenössischer Lyrik 1954/55, Hamburg, S. 140–144.

1954 Über die Nachhut der Geschichte. In: Neue Schweizer Rundschau, Dezember 1954, S. 496–500.

1956 Die Antiquiertheit des Menschen. Über die Seele im Zeitalter der zweiten industriellen Revolution, München. Durch ein Vorwort erweiterte, 5. Auflage 1980.

1959 Faule Arbeit und pausenloser Konsum. In: Homo ludens, Januar S. 8–9.

1959 Der Mann auf der Brücke. Tagebuch aus Hiroshima und Nagasaki, München. Wiederabdruck in: Hiroshima ist überall, a. a. O., S. 1–189.

1961 George Grosz, Zürich. Wiederabdruck in: Mensch ohne Welt, a. a. O., S. 203–237.

1961 Die Komplizen. In: Das Argument, H. 18, S. 22.

1961 Offener Brief an Präsident Kennedy über die Affäre Eatherly. In: Das Argument, Flugblatt-Sonderausgabe Nr. 2, S. 76–85.

1961 Off limits für das Gewissen. Der Briefwechsel zwischen dem Hiroshima-Piloten Claude Eatherly und Günther Anders. Hrsg. und eingeleitet von Robert Jungk, Hamburg. Wiederabdruck in: Hiroshima ist überall, a. a. O., S. 191–360.

1961 Der schleichende Atomkrieg. Erklärung. In: Das Argument, H. 20, S. 170.

1962 Bert Brecht. Gespräche und Erinnerungen, Zürich. Wiederabdruck in: Mensch ohne Welt, a. a. O., S. 135–153.

1964 Wir Eichmannsöhne. Offener Brief an Klaus Eichmann, München. 2., durch einen weiteren Brief ergänzte Auflage, München 1988.

1965 Philosophische Stenogramme, München.

1965 Die Toten. Rede über die drei Weltkriege, Köln. Wiederabdruck in: Hiroshima ist überall, a. a. O., S. 361–394.

1965 Der verwüstete Mensch. Über Welt- und Sprachlosigkeit in Döblins ›Berlin Alexanderplatz‹. In: Festschrift zum achtzigsten Geburtstag von Georg Lukács. Hrsg. von F. Benseler, Neuwied/Berlin. Wiederabdruck in: Mensch ohne Welt, a. a. O., S. 3–30.

1965 Warnbilder. In: Uwe Schultz (Hrsg.), Das Tagebuch und der moderne Autor, München, S. 71 ff.

1966 Brechts ›Leben des Galilei‹. In: Programmheft des Wiener Burgtheaters, 30. Oktober. Wiederabdruck in: Mensch ohne Welt, a. a. O., S. 154–158.

1966 Vorwort G. Grosz, Ecce Homo, Hamburg. Wiederabdruck in: Mensch ohne Welt, a. a. O., S. 238–248.

1966 Der Schrecken. Gedichte aus den Jahren 1933–1948. In: Wilhelm R. Beyer (Hrsg.) Homo homini homo. Festschrift für Joseph E. Drexel, München, S. 131–149. Mitabgedruckt in: Tagebücher und Gedichte, a. a. O., S. 277–394.

1967 Die Schrift an der Wand. Tagebücher 1941–1966, München. Wiederabdruck in: Tagebücher und Gedichte, a. a. O., S. 1–268; Besuch im Hades, a. a. O., S. 7–178.

1968 Der Blick vom Turm. Fabeln, München.

1968 Visit beautiful Vietnam. ABC der Aggressionen heute, Köln.

1970 Der Blick vom Mond. Reflexionen über Weltraumflüge, München.

1971 Eskalation des Verbrechens. Aus einem ABC der amerikanischen Aggression gegen Vietnam, Berlin.

1972 Endzeit und Zeitenende. Gedanken über die atomare Situation, München. Zweite, durch ein Vorwort erweiterte Auflage unter dem Titel: Die atomare Drohung. Radikale Überlegungen, München 1981.

1973 Die falschen Samariter. In: Walter Jens (Hrsg.), Der barmherzige Samariter, Stuttgart, S. 125–134.

1977 Die Konsequenzen der Konsequenzen der Konsequenzen. Jedes Kraftwerk ist eine Bombe. In: Neues Forum Wien, April/Mai, S. 35.

1977 Lieben gestern. In: Merkur, H. 7. Dann in: Lieben gestern, a. a. O.

1978 Kosmologische Humoreske. Erzählungen, Frankfurt/M.

1978 Mein Judentum. In: Hans Jürgen Schultz (Hrsg.), Mein Judentum, Stuttgart, S. 60–76.

1979 Bertolt Brechts ›Geschichten von Herrn Keuner‹. In: Merkur, H. 376. Wiederabgedruckt in: Mensch ohne Welt, a. a. O., S. 159–172.

1979 Besuch im Hades. Auschwitz und Breslau 1966. Nach ›Holocaust‹ 1979, München.

1979 Wenn ich verzweifelt bin, was geht's mich an? In: M. Greffrath (Hrsg.), Die Zerstörung einer Zukunft. Gespräche mit emigrierten Sozialwissenschaftlern, Reinbek. Wiederabdruck in: Günther Anders antwortet, 1987.

1980 Die Antiquiertheit des Menschen, Bd. II. Über die Zerstörung des Lebens im Zeitalter der dritten industriellen Revolution, München.

1981 Die atomare Drohung. Radikale Überlegungen, München. Neuausgabe von: Endzeit und Zeitenende, 1972.

1982 Hiroshima ist überall, München. Darin: Der Mann auf der Brücke (1959), Off limits für das Gewissen (1961), Die Toten. Rede über die drei Weltkriege (1965).

1982 Ketzereien, München. 2., erw. Auflage: München 1991.

1982 Die Tröstung. In: Tintenfisch 210, S. 70–71.

1982 Austritt aus der jüdischen Gemeinde. In: Das Argument, H. 136, S. 847.

1984 Erzählungen, Frankfurt/M. Neuausgabe von: Kosmologische Humoreske (1978).

1984 Das Günther Anders Lesebuch. Hrsg. von Bernhard Lassahn, Zürich.

1984 Mensch ohne Welt. Schriften zur Kunst und Literatur, München. Darin u. a.: Kafka – Pro und Contra, (1951); Bert Brecht, (1962); Brechts ›Leben des Galilei‹, (1966); Bertolt Brecht. Geschichten vom Herrn Keuner, (1979); Der verwüstete Mensch, (1965); Über Broch, (1945/46); George Grosz, (1961);, George Grosz, (1966).

1984 Time Inc. In: Das Argument, H. 145, S. 365.

1984 Abhaken. In: Das Argument, H. 146, S. 526.

1984 Der Maulherostrat. In: Das Argument, H. 147, S. 680.
1984 Dialectics of Today. In: Das Argument, H. 148, S. 830.
1985 Die Antiquiertheit des Hassens. In: Kahle/Menzner/Vinnai (Hrsg.), Haß. Die Macht eines unerwünschten Gefühls, Reinbek, S. 11–32.
1985 The Spade. In: Das Argument, H. 149, S. 8–9.
1985 Gegen Hoffen. In: Das Argument, H. 151, S. 324.
1985 Only for Defense. In: Das Argument, H. 152, S. 487.
1985 Ersatz heute. In: Das Argument, H. 153, S. 647.
1985 Nur tapfer. In: Das Argument, H. 154, S. 801.
1985 Tagebücher und Gedichte. München.
1986 Lieben Gestern. Notizen zur Geschichte des Fühlens. München.
1986 Das nette Wörtchen. In: Das Argument, H. 155, S. 3.
1986 Über Kreativität. In: Das Argument, H. 156, S. 173.
1986 Terrorlüge und Lügenterror. In: Das Argument, H. 157, S. 325–326.
1986 Die Entdeckung Amerikas. In: Das Argument, H. 158, S. 474.
1986 Selbsternannt. In: Das Argument, H. 160, S. 777.
1987 Gewalt – ja oder nein. Eine notwendige Diskussion. Hrsg. von Manfred Bissinger, München. Enthält: Von ›Notstand und Notwehr‹; Die Zuspitzung I: Vom Ende des Pazifismus; Die Zuspitzung II: Die Atom-Resistance – neue ausgewählte Stücke zum Thema ›Notstand und Notwehr‹; Ein Nachtrag: Nur an Wochenenden.
1987 Günther Anders antwortet. Interviews und Erklärungen, hrsg. von Elke Schubert, Berlin.
1987 Mariechen. Eine Gutenachtgeschichte für Liebende, Philosophen und Angehörige anderer Berufsgruppen. Mit einer Günther-Anders-Bibliographie, München.
1987 Reicht der gewaltlose Protest? In: Forum, Wien, H. 397/8.
1987 Die Redensart. In: Das Argument, H. 161, S. 8.
1987 Warum Reagan seine Rede hat absagen müssen. In: Das Argument, H. 162, S. 158.
1987 Über die »Continuity of Western Values«. In: Das Argument, H. 163, S. 328.
1987 Maschinenstürmer. In: Das Argument, H. 164, S. 479.
1987 Die Unsterbliche. In: Das Argument, H. 165, S. 634.
1987 »Ich bin 85!« In: Das Argument, H. 166, S. 793–794.
1988 Das Harmloseste. In: Das Argument, H. 167, S. 8.
1988 Ultima. Notizen aus dem Hospital I. In: Das Argument, H. 168, S. 173–174.
1988 Ultima II. In: Das Argument, H. 169, S. 321–322.
1988 Ultima III. In: Das Argument, H. 170, S. 473.

1988 Ultima IV. In: Das Argument, H. 171, S. 637.
1988 Die gewonnene Wette. In: Das Argument, H. 172, S. 799–801.
1988 Die Augenbinde der Justitia. In: Forum, Wien, H. 413/4.
1989 Der Ruhm. In: Das Argument, H. 173, S. 5.
1989 Die Tabletten. In: Das Argument, H. 174, S. 169.
1989 Noch nicht einmal »nur gewesen«. In: Das Argument, H. 175, S. 338.
1989 Kein Ketzer mehr. In: Das Argument, H. 176, S. 507–509.
1989 Das perverse Gerät. In: Das Argument, H. 177, S. 678–681.
1989 Über ein Wort Jesu. In: Das Argument, H. 178, S. 833–834.
1990 Cartesianismus am Krankenbett. In: Das Argument, H. 179, S. 7.
1990 Der Feierabend. In: Das Argument, H. 180, S. 171.
1990 Warum »wie«? In: Das Argument, H. 181, S. 342.
1990 Gleich nützlich. In: Das Argument, H. 182, S. 506.
1990 Sklavensprache. In: Das Argument, H. 183, S. 672.
1990 Gegen Feierlichkeit. In: Das Argument, H. 184, S. 846.
1991 Das lustige Argument. The Biggy. In: Das Argument, H. 185, S. 7.
1992 Die molussische Katakombe. München.

Biographische Daten

1902 Am 12. Juli wird Günther Anders (Pseudonym für Günther Sigmund Stern) als Sohn des Psychologenehepaares Clara und William Stern in Breslau geboren; zwei Schwestern (Hilde und Eva Stern).

1915 Umzug der Familie Stern nach Hamburg.

1917 als Fünfzehnjähriger mit paramilitärischem Verband in Frankreich.

1920 Abitur, Studium der Philosophie, der Psychologie und der Kunstgeschichte bei Cassirer, Görland und William Stern.

1921 Fortsetzung der philosophischen Studien in Freiburg i. Br. bei Husserl und Heidegger, unterbrochen von einem Semester in München bei Wölfflin und Geiger und einem Semester in Berlin bei Köhler, Wertheimer, Spranger und Goldschmidt.

1924 Promotion bei Husserl. Danach Aufenthalte in Berlin und Paris; Mitherausgeber der Zeitschrift *Das Dreieck*.

1926 Fortsetzung der philosophischen Studien bei Max Scheler in Köln.

1928 Heirat mit Hannah Arendt.

1929 Vorträge über ›Die Weltfremdheit des Menschen‹ vor den Kant-Gesellschaften in Hamburg und Frankfurt am Main.

1930 Abbruch einer musikphilosophischen Habilitation. Publizistische Arbeit für die *Vossische Zeitung* und den *Börsen-Courier*. Wahl des Pseudonyms »Anders«. Arbeit an *Die molussische Katakombe*.

1933 Emigration nach Paris. Politische Dichtung.

1936 Novellenpreis der Emigration für *Der Hungermarsch* (publiziert in *Kosmologische Humoreske und andere Erzählungen*). Weiterflucht in die USA. Trennung von Hannah Arendt.

1936–1950 Aufenthalt an der Ost- und der Westküste der USA. Fabrikarbeit und andere »odd jobs«. Kontakte zu Brecht, Adorno, Herbert Marcuse, Thomas Mann, Bloch, Döblin. Dozent für Ästhetik an der New School for Social Research.

1950 Rückkehr nach Europa; Niederlassung in Wien. Publizistische Tätigkeit. Bekämpfung der atomaren Drohung, Engagement in der Ostermarsch-Bewegung.

1958 Reise nach Japan.

1959 Beginn des Briefwechsels mit Claude R. Eatherly.
1962 Begegnung mit Eatherly in Mexico City. Premio Omegna der »Resistanza Italiana«.
1966 Reise nach Auschwitz und Breslau. Juror im Russell-Tribunal. Engagement gegen den Vietnam-Krieg.
1967 Kritikerpreis.
1978 Literaturpreis der Bayerischen Akademie der schönen Künste.
1979 Österreichischer Staatspreis für Kulturpublizistik.
1980 Preis für Kulturpublizistik der Stadt Wien.
1983 Theodor W. Adorno-Preis der Stadt Frankfurt.
1985 Ablehnung des Andreas-Gryphius-Preises der »Künstlergilde« zur »Pflege ostdeutschen Kulturgutes«.
1986/7 Die radikalen Thesen von Günther Anders zur Gewaltfrage lösen intensive Diskussionen aus.

Philosophie

Jean Le Rond D'Alembert
Einleitung zur 'Enzyklopädie'
Günther Mensching (Hg.)
Band 6580

Jean Le Rond D'Alembert
Denis Diderot u.a.
Enzyklopädie
Eine Auswahl. Herausgegeben von Günther Berger. Band 6584

Francis Bacon
Weisheit der Alten
Philipp Rippel (Hg.). Band 6588

Seyla Benhabib
Kritik, Norm und Utopie
Die normativen Grundlagen der Kritischen Theorie. Band 10723

Henri Bergson
Die beiden Quellen der Moral und der Religion
Band 11300

Petra Braitling,
Walter Reese-Schäfer (Hg.)
Universalismus, Nationalismus und die neue Einheit der Deutschen
Philosophen und die Politik
Band 10963

Ernst Cassirer, Jean Starobinski,
Robert Darnton
Drei Vorschläge, Rousseau zu lesen
Band 6569

René Descartes
Ausgewählte Schriften
Herausgegeben von Ivo Frenzel
Band 6549

Denis Diderot
Über die Natur
Herausgegeben und mit einem Essay von Jochen Köhler. Band 6583

Hans-Georg Gadamer (Hg.)
Philosophisches Lesebuch
3 Bände: 6576/6577/6578

Jens Heise
Traumdiskurse
Die Träume der Philosophie und die Psychologie des Traums
Band 6585

Thomas Hobbes
Behemoth oder Das Lange Parlament
Herausgegeben und mit einem Essay von Herfried Münkler. Band 10038

Max Horkheimer
Zur Kritik der instrumentellen Vernunft
Band 7355

Martin Jay
Dialektische Phantasie
Die Geschichte der Frankfurter Schule und des Instituts für Sozialforschung. Band 6546

Philosophie

Ralf Konersmann
Erstarrte Unruhe
Walter Benjamins Begriff der Geschichte. Band 10962

Susanne K. Langer
Philosophie auf neuem Wege
Das Symbol im Denken, im Ritus und in der Kunst. Band 7344

Ludger Lütkehaus (Hg.)
„Dieses wahre innere Afrika“
Texte zur Entdeckung des Unbewußten vor Freud. Band 6582

Niccolò Machiavelli
Politische Schriften
Herfried Münkler (Hg.). Band 10248

Platon
Sokrates im Gespräch
Vier Dialoge. Band 6550

Jean-Jacques Rousseau
Schriften
Herausgegeben von Henning Ritter 2 Bände: 6567/6568

Bertrand Russell
Das ABC der Relativitätstheorie
Band 6579
Moral und Politik. *Band 6573*
Philosophie. Die Entwicklung meines Denkens. *Band 6572*

Joachim Schickel
Philosophie als Beruf
Band 7315

Hans Joachim Störig
Kleine Weltgeschichte der Philosophie
Band 11142

Bernhard H. F. Taureck (Hg.)
Psychoanalyse und Philosophie. Lacan in der Diskussion
Band 10911

Christoph Türcke
Kassensturz
Zur Lage der Theologie
Band 11249

Sexus und Geist
Philosophie im Geschlechterkampf. Band 7416

Der tolle Mensch
Nietzsche und der Wahnsinn der Vernunft. Band 6589

Voltaire
Philosophische Briefe
Band 10910

Charles Whitney
Francis Bacon
Die Begründung der Moderne
Band 6571

Franz Wiedmann
Anstößige Denker
Die Wirklichkeit als Natur und Geschichte in der Sicht von Außenseitern. Band 6587